Andrea Stegmeir

Ludwig II. auf Hawaii
Der Märchenkönig ist wieder

Danke

Für Tobias und Julian Schneider habe ich dieses Buch geschrieben. Jetzt seid ihr den Kinderschuhen entwachsen, noch bevor das Buch sein Ende fand. Euch verdanke ich viele Anregungen und Fragen, die zur sprachlichen Entkrampfung und besseren Lesbarkeit beitrugen. Danke für eure Geduld und Begeisterung, mit der ihr euch auf die Geschichte eingelassen habt.

Auch bei Jakob Schlierf bedanke ich mich herzlich. Er hat mir von seiner knappen Zeit geschenkt und wertvolle dramaturgische Hinweise gegeben, die zum besseren Fluss der Geschichte beitrugen.

Ein besonderer Dank gebührt Roland Klebe. Er motivierte mich über all die Zeit weiterzuschreiben. Geduldig und kritisch schenkte er mir immer wieder sein Ohr und half schließlich auch, dass aus dem Manuskript ein Buch wurde.

Reni Kretzschmar und Dietrich Brecht führten den Kampf gegen das Heer von Rechtschreibfehlern. Habt vielen Dank für eure akribische Korrekturarbeit.

Andrea Stegmeir

Ludwig II. auf Hawaii

Der Märchenkönig ist wieder da!

Bibliografische Information der Deutschen Nationalbibliothek:
Die Deutsche Nationalbibliothek verzeichnet diese
Publikation in der Deutschen Nationalbibliografie;
detaillierte bibliografische Daten sind im Internet
über http://dnb.dnb.de abrufbar.

© 2016 Andrea Stegmeir

Illustration: Corinna Klebe

Herstellung und Verlag:
BoD – Books on Demand, Norderstedt
ISBN: 978-3-7386-4464-7

Inhalt

Das Ende

13. Juni 1886, zwei Tote im Starnberger See.

»Mit Huch und Ach und Weh,
stell ich fest,
mein Körper,
der liegt da unten im See!«

König Ludwig II. – besser gesagt, der ehemalige König Ludwig II., denn sein Körper treibt nun tot auf dem Starnberger See, weiß nicht wie ihm geschieht. Was war vorgefallen? Wie kann es sein, dass er seinen eigenen Körper auf dem Wasser treiben sieht? Er hängt seinen Fragen nach und versucht Ordnung in seine wirren Gedanken zu bringen. Plötzlich stockt sein Blick. Was ist das? Gar nicht weit von seinem Körper treibt, mit dem Gesicht nach unten, noch eine Leiche im Wasser!
Es ist ein verregneter, trüber Junitag, feucht und kühl. Obwohl es noch nicht acht Uhr ist, scheint schon die Abenddämmerung eingetreten. Um in dem faden Licht zu ergründen, wer die andere Wasserleiche ist, nähert sich Ludwig neugierig dem leblosen Körper.
Da erklingt eine vertraute Stimme in seinem Ohr: »Gestatten Majestät, so nehmen Majestät doch Vernunft an, begeben Majestät sich nun in die verordnete Pflege!«
Ludwig erkennt jetzt den schwarzen Umhang. Wie ausgebreitete Flügel liegen die Enden des Überrocks um den schwimmenden Toten. Es ist die leibliche Hülle des verhassten Irrenarztes; dieser Obermedizinalrat Professor Dr. Bernhard Aloys von Gudden hat ihn vor vier Tagen für verrückt erklärt!
Aber was geht hier vor? Wie kann es sein, dass er die Stimme eines leblos im See Treibenden hören kann? Sind er und Dr. von Gudden am Leben oder sind sie nun tot?

Ist das alles nur ein Traum? Wie konnte er sich dem treibenden Leichnam Dr. von Guddens annähern, wo doch auch sein eigener Körper leblos im See schwimmt? Woher kam die Stimme?

Erst jetzt bemerkt Ludwig die Leichtigkeit, die ihn umgibt. Er schwebt! Irgendwie fühlt er sich erleichtert und befreit von dem qualvollen Leben der letzten Jahre.

Als er an sich herab blickt, kann er nur diffus seine Umrisse erkennen. Ist es das trübe, schummrige Licht, das ihn seine eigene Gestalt als durchsichtiges, ja fast wie von Spinnen gewebtes Gebilde erkennen lässt?

Er erinnert sich wieder an die Stimme Dr. von Guddens und versucht nun auszumachen, woher sie kam. Von dem treibenden Körper im See kam sie nicht, davon ist er überzeugt. Er lässt seinen Blick schweifen und wird einer schwebenden Luftgestalt, ähnlich der seinen, etwa zwei Schritt über dem Leichnam Guddens gewahr. Nun glaubt er fast selbst, dass die Diagnose des Psychiaters richtig war und er irrsinnig ist.

Wie geht es zu, dass Dr. von Gudden tot im See treibt und gleichzeitig über sich selbst schwebend als Luftgeist zu ihm spricht?

Ludwigs hochverehrter Theologielehrer Döllinger hat ihm viele Stunden lang von den Dingen erzählt, die uns nach dem Tod erwarten würden. Himmel, Hölle oder Fegefeuer; das war zu erwarten.

Im Himmel würden die Engel frohlocken, vor Glück jauchzen und mit ihren lieblichen Gesängen den Herrn preisen.

In der Hölle wäre es heiß, man würde von grausamen Teufeln, gleich Folterknechten, gequält und es gäbe von dort kein Entrinnen. Als er sich in seinen späteren Jahren an die Ausführungen des liebenswürdigen Döllingers erinnerte, kam es ihm gar oft so vor, als hätte er bereits im Leben seinen Platz in der Hölle gefunden.

All die Minister, die Hofsekretäre, die Adjutanten, die Adeligen, die Generäle, der Hofklerus, die Livree Dienerschaft, die Zeremonienmeister, die Reichsräte und so weiter; allesamt waren sie Intriganten, Lügner und Betrüger! Selbstsüchtige, arglistige Kleingeister, die für das Schöne, das Edle, die Kunst und das Theater keinen Sinn hatten. Ihre Seele hätten sie verkauft für eine höhere Position im Amt. Ein jeder Einzelne von ihnen war ein Quälgeist wie ihn sich Ludwig in keiner Hölle schlimmer hätte vorstellen können.

Auch dieser Dr. von Gudden, der jetzt so zwielichtig vor ihm schwebt und gleichzeitig als Toter im Wasser liegt, ist ein Intrigant. Er hat sich an der Verschwörung des Ministeriums beteiligt. Die Minister wollten den König stürzen und schließlich ist es ihnen gelungen.

»Diese Bande von vier Psychiatern hat mich im Auftrag des Ministeriums für irrsinnig erklärt!« murmelt Ludwig erbost vor sich hin.

»Majestät ist nicht nur irrsinnig, Allerhöchstdieselbe vergingen sich nun auch noch an mir – als Mörder! Nehmen Majestät doch nun endlich Vernunft an und begeben Allerhöchstdieselben sich in die von Prinzregent Luitpold verordnete Pflege, kehren Majestät nun mit mir zurück zum Schloss.«

Ludwig ist ob der erneuten Anrede des offensichtlich tot auf dem See Treibenden ganz durcheinander und starrt auf die über dem Wasser schwebende Gestalt Dr. von Guddens:

»Mir ist so blümerant zumute, fühle mich gar schwindelig und verdreht, als hätte ich zu viel Schaumwein soupiert! Wer spricht zu mir – ist es ein Geist?«

»Majestät, diese Frage liefert einen erneuten Beweis für die Verrücktheit Seiner Majestät, Geister gibt es nicht! Wie ich Majestät bereits auf Schloss Neuschwanstein mitteilte, sind Allerhöchstdieselben von vier Irrenärzten

für Verrückt erklärt worden und nach unserem Ausspruch hat Prinz Luitpold die Regentschaft übernommen. Ich habe den Befehl, Majestät jetzt zurück ins Schloss Berg zu geleiten, um Seiner Majestät die nötige Pflege zukommen zu lassen.«
Diese Worte hatte Ludwig schon einmal gehört, er hing seiner Erinnerung nach....

Wie war das noch?

Während König Ludwig II. sich auf Schloss Neuschwanstein aufhielt, schickte seine Münchner Regierung eine Deputation, um ihn zu verhaften.
Freiherr von Crailsheim, der Staatsminister des königlichen Hauses, kam höchstpersönlich aus München angereist. In seiner Begleitung fanden sich einige Staatsdiener, der Irrenarzt Dr. von Gudden mit ein paar Irrenpflegern und ein Gefolge von weiteren, verräterischen Adeligen. Diese Vollstreckungsgehilfen der gemeinsten Verschwörung in der Geschichte Bayerns machten sich am Nachmittag des 9. Juni 1886 von München nach Hohenschwangau auf. Als sie dort um kurz nach 10:00 Uhr abends ankamen, quartierten sie sich unverfroren in Ludwigs Burg Hohenschwangau ein.
An jenem Abend hielt sich Ludwig ahnungslos oben im Schloss Neuschwanstein auf. Er beauftragte seinen Leibkutscher Osterholzer, unten in Hohenschwangau eine Kutsche anzuspannen und ihn gegen Mitternacht zu einer Spazierfahrt abzuholen.

Als Osterholzer in Hohenschwangau die Pferde anschirren wollte, tauchte plötzlich sein Chef, der Obermarstallfourier Graf Holnstein auf und befahl ihm, die Pferde wieder in den Stall zurück zu bringen. Der Leibkutscher entgegnete, dass er vom König höchstpersönlich den Befehl zum Anspannen erhielt – und diesen Befehl nun auch auszuführen gedenke. Daraufhin antwortete ihm Holnstein grob:

»Ich sage Dir, spann wieder aus! Der König hat nichts mehr zu melden. Befehle werden jetzt nur noch von Prinz Luitpold erteilt!«

Der verstörte Leibkutscher schirrte die Pferde wieder aus und entwischte heimlich aus Hohenschwangau. Schnell lief er den Waldpfad hinauf, der, die Biegung der Straße vermeidend, zum Schloss Neuschwanstein hoch führt, um dem König den Vorfall zu melden.

Ludwig glaubte zuerst Osterholzer würde übertreiben und konnte sich eine solche Ungeheuerlichkeit gar nicht vorstellen. Nachdem aber der Leibkutscher so eindringlich vor einer Gefahr warnte, beschloss der König dann doch, vorsichtshalber die Gendarmerie- und Feuerwehrkommandos der näheren Umgebung auf Neuschwanstein zusammen zu ziehen. Dann schickte er noch seinem treu ergebenen Adjutanten Graf Dürckheim ein Telegramm nach München, dieser möge unverzüglich zu ihm nach Neuschwanstein reiten. Ohne dem Zwischenfall weitere Beachtung zu schenken begab er sich dann in sein Schlafgemach.

Das laute Pferdegetrappel und die Zusammenrottung der Gendarmerie und Feuerwehr zu so später Stunde lies die Bewohner der Gegend neugierig werden. Gerüchte machten sich breit, dass Ludwig II. entführt werden solle. Viele Leute verließen ihre Häuser und begaben sich auf den Weg zum Schloss. Sie wollten ihren König schützen.

Nachts gegen 2:30 Uhr machte sich die Deputation – und zwar sämtliche Mitglieder in voller Uniform – auf zum Schloss Neuschwanstein. Auf der Straße befanden sich unzählige Menschen die aus Schwangau und gar aus Füssen zusammen gelaufen waren, um dem König beizustehen. Mit ihren Kutschen eilte die Deputation an den Zusammengelaufenen vorbei und erreichte gegen 4 Uhr unbehelligt das Schlosstor. Gebieterisch verlangten sie dort Einlass. Aber man verwehrte ihnen diesen.

Die Gendarmerie war vorbereitet und unterrichtet, und auf das Äußerste gefasst. Verstärkt durch ein paar Chevaulegers (Soldaten) – alle mit scharf geladenen Gewehren bzw. blankgezogenen Säbeln – hielten die Gendarmen die Zugänge besetzt.

Als sich die Herren aus München gewaltsam Zugang zum Schloss erzwingen wollten, riss der Wachtmeister Heinz sein Gewehr empor und rief: »Keinen Schritt weiter; oder ich gebe Feuer!«

Da alle Versuche von Crailsheims und seiner Bande in das Schloss einzudringen vergeblich waren; die zusammen gelaufene Bevölkerung immer erregter wurde, und in ihrer Übermacht schließlich eine drohende Haltung annahm, zog die Deputation unverrichteter Dinge wieder ab.

Auf dem Rückweg kam ihnen dann noch die zusammengetrommelte Feuerwehr aus den benachbarten Orten entgegen. Um den König zu beschützen, zog nun eine große Menschenmenge den Berg hinauf zum Schloss Neuschwanstein.

Während sich vor dem Schloss diese Szenen abspielten, informierte die Dienerschaft den König, dass eine Deputation aus München eingetroffen war, deren Ziel es sei den König zu entmündigen. Diese wollte sich Zugang zum Schloss verschaffen. Ludwig schickte sofort nach dem Wachtmeister Poppeler. Als dieser unverzüglich bei ihm eintraf, richtete er folgende Worte an ihn:

»Herr Wachtmeister, geben Sie mir einen Rat, was soll ich tun? Es ist eine Entmündigungskommission gekommen, welche mich für irrsinnig erklärt und mich lebendig begraben will, gleich meinem Bruder Otto, das ertrage ich nicht. Ich bin ärmer dran wie ein Bettler, dieser kann die Gerichte in Anspruch nehmen, ich, als verrückt erklärter König, kann das nicht! Ich will sehen, wer mich für irrsinnig erklären kann, wenn ich es nicht bin. Jetzt vor allem Herr Wachtmeister bitte ich, die Rädelsführer der Kommission zu verhaften und hierher auf das Schloss zu bringen.«

Poppeler erklärte Seiner Majestät, wie schwer für ihn dieses Vorgehen sei und dass er vor allem einen Haftbefehl von Seiner Majestät mit Siegel und Unterschrift haben müsse.

Aber Ludwig hatte in seinem Leben noch nie einen Haftbefehl gesehen und wusste nicht, wie ein solcher auszusehen hat. Kurzerhand beauftragte er Poppeler diesen zu fertigen, der König selbst werde ihn dann unterzeichnen und siegeln – und so geschah es.

Die mittlerweile nach Hohenschwangau zurückgekehrten Mitglieder der Entmündigungskommission sahen wohl ein, dass sie es vorerst kaum bewerkstelligen konnten, den König in Gewahrsam zu nehmen. Sie entledigten sich ihrer Staatskleider und fanden sich beim ersten Morgengrauen im Speisenraum zusammen. Man war gerade dabei, darüber zu beratschlagen, was unter den gegebenen Umständen zu tun sei, als ein Gendarm den Raum betrat.

Dieser erhob lauthals die Stimme, um seine Meldung zu verkünden:

»Im Namen der Majestät des Königs sind die Mitglieder der Deputation, bestehend aus dem königlichen Staatsminister Freiherr von Crailsheim und der beiden Grafen von Holnstein und Törring, sofort zu verhaften und nach Neuschwanstein einzuliefern! Die übrigen Mitglieder der Kommission haben unter Bewachung hier in Hohenschwangau zu verbleiben!«

Die Betroffenen waren von dieser Meldung so überrascht, dass sie kurzzeitig erstarrten, dann wurde ihr Erstaunen noch erhöht, als von dem Gendarmen hinzugefügt wurde:

„Man möge keine Umstände machen, da jede Weigerung nichts helfe, Schloss Hohenschwangau sei von Gendarmerie und Feuerwehr umzingelt, die nötigenfalls Gewalt anwenden würden".

Die Kommission hielt nun Rat ab und mit Mehrheit wurde beschlossen, der Aufforderung ohne jeden Widerstand zu folgen.

So zog also in den frühen, nun schon etwas helleren Morgenstunden ein seltsamer Zug nach Neuschwanstein: Voneweg ein Trupp Feuerwehrleute, dann die drei genannten Herren, rechts und links begleitet von acht Gendarmen mit aufgepflanzten und geladenen Gewehren; den Schluss machte wiederum ein Trupp Feuerwehrleute.

Langsam stiegen sie den Berg hinauf, vorbei an finster drein blickenden Leuten, denen man ansah, dass sie gute Lust hatten die drei in Stücke zu reißen. Oben am Schlosstor angekommen wurde der Zug von einer Horde Landbevölkerung, Feuerwehrleuten, Bauern und Holzknechten empfangen, die sich in ähnlicher Laune befanden und durch deren Reihen sie nahezu Spießruten laufen mussten. Und sie hatten Glück, dass der anwesende Bezirksamtmann mit seiner Autorität das wütende, angriffslustige Volk zurückhalten konnte.

Es ist nicht übertrieben wenn man sagt, dass besonders die Schwangauer in ungeheurer Erregung waren. Ein kräftiger Kerl aus Schwangau drängelte sich gar aus der Menge vor zum Minister von Crailsheim und drohte, »ihm alle vier Augen auszuschlagen« wenn dieser seinem

14

König auch nur ein Haar krümmen würde. Der ganzen Energie des Bezirksamtmannes bedurfte es, das zu allem fähige Volk von tätlichen Übergriffen abzuhalten.

Schnell wurde das Tor geöffnet, um die Verhafteten ins Schloss zu lassen, wo die drei Herren unter Geleit einiger Gendarmen zu dem erbosten König geführt wurden. Als die Mitglieder der verhafteten Kommission Ludwig vorgeführt wurden, bekam dieser einen Wutanfall und schrie sie lauthals an:

»Solch hinterfotzige, arglistige Intriganten von der Art wie der Ihren, die muss man auspeitschen, denen muss man bei lebendigem Leibe die Haut abziehen und dann die Augen ausstechen. Eine Woche lang nur Wasser – keine Speisen! Und kein Abort, sie sollen in ihren Exkrementen schwimmen!«

Dann fügte er etwas leiser hinzu:

»Gendarmen! Abführen in den Folterkeller zum Vollzug!«

Nachdem die Gendarmen die kreidebleichen und völlig verängstigten Gefangenen hinausgeführt hatten, bat Wachtmeister Poppeler das Wort an den König richten zu dürfen. Mit gesenktem Haupt flüsterte er:

»Aber Majestät, bitte untertänigst anmerken zu dürfen, dass es zur Durchführung der verordneten Strafen eines Richterspruches bedarf.«

Und noch unterwürfiger setzte er hinzu:

»Zudem ist mir nicht bekannt, wo sich in diesem Schlosse der ›Folterkeller‹ befinden solle?«

»Ach« seufzte der König, »treuer Poppeler ich weiß, ohne Richterspruch gibt es hierzulande keine Bestrafung. Und wen wundert, dass Sie nicht um den Folterkeller wissen. Auf all meinen Schlössern gibt es keine Folterkammern. Grausamkeiten dieser Art habe ich von jeher verabscheut. – Obwohl dieses Pack es verdient hätte.«

Nach einer kurzen Pause fügte Ludwig noch hinzu:

»Ich wollte diesen Verrätern wenigstens einmal ihren Hochmut aus den Gesichtern treiben.«

Da erschien Mayer, der Kammerlakai des Königs und meldete diesem gehorsam, dass ein Gendarm sich beim Kammerlakai nach dem Weg zum Folterkeller erkundigt hätte. Die Gendarmen würden nun mit den Gefangen im Schloss umher irren, auf der Suche nach dem Folterkeller. Ludwig befahl: »Die drei sollen verwahrt werden in den Kavalierszimmern des Torbaus. Und – Mayer, rufen Sie mir den Bezirksamtmann.«

Während Mayer nun die drei Verhafteten in die Kavalierszimmer bringen ließ und nach dem Bezirksamtmann schickte, gab Ludwig an Poppeler den Befehl, auch noch die restlichen Mitglieder der Kommission nach Neuschwanstein hochbringen zu lassen.

Bald kam ein Wagen durch das Schlosstor gerollt; es war der bestellte königliche Bezirksamtmann. Er berichtete von dem Volksauflauf vor dem Schlosse. Die treuen Bürger begnügten sich nicht mehr die Fahrstraße zum Schlosseingang heraufzukommen. Ameisen gleich kletterten sie von allen Seiten den Berg hinauf. Sie würden keinen entkommen lassen, der dem König Schaden zufügen wolle.

Nachdem er Ludwig seinen Bericht vorgetragen hatte, begann der Bezirksamtmann sogleich eine eifrige telegraphische Korrespondenz mit München. Er sollte herausfinden, wie die gegenwärtige Lage in München sei und dem König darüber ein Gutachten abgeben.

Der Kammerlakai Mayer meldete gehorsam das Eintreffen der restlichen Mitglieder der verhafteten Kommission. Es war als Glück zu betrachten, dass es der Eskorte gelang die Festgenommenen unversehrt durch die wütende Menge zum Schloss zu bringen.

Mayer erkundigte sich beim König, wie denn nun weiter mit den Herren zu verfahren sei. Doch Ludwig wollte zuerst wissen, um wen es sich bei den Herren handeln würde.

»Melde untertänigst, es handelt sich bei den festgenommenen Personen um: Professor Doktor von Grashey...«, begann der strammstehende Mayer, aber der König unterbrach ihn:

»Oh, das ist doch ein Irrenarzt!«

» ... Professor Doktor von Gudden...«

Der König unterbrach ihn erneut: »Oh, das ist doch der Mitbegründer der Münchner Psychiatrie, noch ein Irrenarzt!«

» ... Doktor Hagen...«

Wieder fuhr der König dazwischen: »Oh, das ist doch nicht zu fassen, noch ein Irrenarzt!«

» ... Doktor Müller...«

Der König wurde immer erregter: »Oh, dieses Geschmeiß, dieses Pack, unerträglich! Noch ein Irrenarzt!«

» ... des Weiteren vier Irrenpfleger...«

Der König explodierte: »Oh, das ist zu viel! Dieses Aufgebot reicht, um eine ganze Kompanie Verrückter in Gewahrsam zu nehmen!«

» ... Baron Washington...«

Der König wurde wieder leiser:

»Oh, der Oberstleutnant, dieser Verräter, er macht sich zum Erfüllungsgehilfen meines Oheims Prinz Luitpold. Dieser Elende, seine Kinder werden sich eines Tages schämen für diesen Verrat! Ich will dieses ganze Gesindel allesamt nicht sehen, bringen Sie dieses Pack zu den anderen Gefangenen!«

Es sollten nun für die Gefangenen noch ein paar bange Stunden vergehen, ehe ihnen die Freiheit winkte.

Der Bezirksamtmann erhielt indessen auf telegraphischem Wege die Proklamation der Reichs-Verwesung. Eine Bekanntmachung durch den Prinzen Luitpold, wonach Prinz Luitpold die Regentschaft übernommen hatte und

König Ludwig II. aufgrund seiner ›schweren Leiden‹ die Regierung nicht mehr führen könne. Der Bezirksamtmann war erschüttert und ratlos, was nun zu tun sei. Schweren Herzens ließ er die Proklamation dem König überbringen. Ludwig war in einer schrecklichen Gemütsverfassung als er das Schriftstück zu lesen bekam.

»Ein schweres Leiden wird mir zugesprochen. Was beabsichtigt man mit mir? Man kann mich doch nicht wie einen Wahnsinnigen behandeln? Man schickt mir eine Kompanie Irrenärzte, die mich in Verwahrung nehmen sollen. Begraben soll ich werden bei lebendigem Leibe, wie mein Bruder Otto!«

Der König setzte sich an sein Schreibpult, ließ sein Haupt sinken, stützte die Ellenbogen auf die Schreibplatte und hielt seinen Kopf. Dann trat eine lange Stille ein. Als er schließlich wieder aufblickte sprach er im Flüsterton:

»Herr Bezirksamtmann, meinetwegen soll kein Blut fließen. Gehen Sie nach draußen und tun Sie Ihre Pflicht. Verlesen Sie die Proklamation vor dem Volke.«

Proklamation über die Regentschaft des Prinzen Luitpold:
veröffentlicht am 10.6.1886 im:
„Bayerisches Gesetz- und Verordnungsblatt"

Im Namen Seiner Majestät des Königs.

„Unser königliches Haus und Bayerns treubewährtes Volk ist nach Gottes unerforschlichem Ratschlusse von dem erschütternden Ereignisse betroffen worden, dass Unser vielgeliebter Neffe, der Allerdurchlauchtigste, Großmächtigste König und Herr, Seine Majestät König Ludwig II. , an einem schweren Leiden erkrankt sind, welches Allerhöchstdieselben an der Ausübung der Regierung auf längere Zeit in Sinne des Titels II. §. 11 der Verfassungsurkunde hindert.

„Da Seine Majestät der König für diesen Fall Allerhöchstselbst weder Vorsehung getroffen haben, noch dermalen treffen können, und da ferner über Unsern vielgeliebten Neffen, Seine königliche Hoheit den Prinzen Otto von Bayern, ein schon länger andauerndes Leiden verhängt ist, welches ihm die Übernahme der Regentschaft unmöglich macht. So legen uns die Bestimmungen der Verfassungsurkunde als nächstberufenen Agnaten die traurige Pflicht auf, die Reichsverwesung zu übernehmen.

„Indem wir dieses, von dem tiefsten Schmerze ergriffen, öffentlich kund und zu wissen thun, verfügen wir hiermit in Gemäßheit des Titels II §§. 11 und 16 der Verfassungsurkunde die Einberufung des Landtages auf Dienstag, den 15. Juni laufenden Jahres.

„Die Königlichen Kreisregierungen werden beauftragt, sofort alle aus ihrem Kreise berufenen Abgeordneten für die zweite Kammer unter abschriftlicher Mitteilung dieser öffentlichen Ausschreibung aufzufordern, sich rechtzeitig in der Haupt- und Residenzstadt München einzufinden.

München, den 10. Juni 1886

L u i t p o l d ,
Prinz von Bayern
Dr. Freiherr von Lutz, Dr. von Fäustle; Dr. von Riedel, Freiherr von Crailsheim, Freiherr von Feilitzsch, von Heinleth.

Die Bevölkerung geriet ob der verlesenen Proklamation in Aufruhr, viele konnten es nicht fassen – ihr König krank, regierungsunfähig? Die meisten glaubten an einen Komplott. Immer wieder drangen die Hochrufe der Menschen in das Schloss: »Es lebe der König!«

Nach Beruhigung der Lage, etwa gegen Mittag, hieß der König selbst die zu seiner Unterstützung herbeigeeilten Bürger wieder nach Hause gehen.

Auch die Mitglieder der Staatskommission mussten entlassen werden. Aber noch wäre es gewagt gewesen, die Gefangenen aus ihrer Haft zu entlassen. Erst nach 13 Uhr veranlasste der Bezirksamtmann die Freilassung der Gefangenen. Vorsicht musste aber trotzdem angewendet werden, da einzelne Feuerwehrleute immer noch eine drohende Miene annahmen, auch unter der dortigen Bevölkerung wollte man all das von München Gemeldete noch nicht recht glauben.

Schließlich kamen die Entlassenen wohlbehalten nach Schloss Hohenschwangau. Inzwischen hatte sich aber die Kunde von der Freilassung der Kommission herumgesprochen, und die Bevölkerung zog haufenweise hinunter zum Schloss Hohenschwangau. Nun war es geboten, die Mitglieder der Deputation zum Hintertürchen hinauszulassen, da weiterer Aufenthalt gefährlich gewesen wäre. Die Herren Irrenärzte, Grafen und Minister mussten sich unter Zurücklassung ihres Gepäcks einzeln und zu Fuße auf die Straße nach Peiting begeben, wo eine vierspännige Kutsche auf sie wartete.

Ludwig hatte den Weg von Hohenschwangau nach Penzberg oft in dem raschesten Tempo gemacht, aber so schnell wie diese Herren konnte die Strecke noch niemand zurücklegen. Der circa 70 Kilometer lange Weg wurde in drei Stunden zurückgelegt. Obwohl sie den ganzen Tag nichts zu essen erhalten hatten, gönnten sich die Herren unterwegs keinen Aufenthalt, bis sie in

Penzberg den Boden unter ihren Füßen sicher fühlten. Sodann traten sie unverzüglich die Weiterfahrt nach München an, wo sie gegen 22:00 Uhr eintrafen.

Kurz nach Freilassung der Kommission ist in Neuschwanstein Graf Alfred von Dürckheim, der Flügeladjutant des Königs, welcher telegraphisch bestellt war, angekommen. Er wurde sofort in das Arbeitszimmer befohlen und Ludwig richtete folgende Worte an ihn:

»Helfen Sie mir aus meiner Verlegenheit, ich wurde in der Nacht plötzlich mit der Nachricht geweckt, dass mehrere Herren gekommen seien, um mich mit Gewalt fortzuführen. Ich habe sie natürlich nicht in das Schloss hereingelassen und nachher ihre Festnahme befohlen. Dann ließ mir der Bezirksamtmann die Proklamation über die Regentschaft des Prinzen Luitpold vorlegen, worauf ich die Festgenommenen wieder entlassen habe. Was beabsichtigt man? Man kann mich doch nicht als einen Irren behandeln? Das Ganze ist nur eine Geldfrage. Wenn mir jemand hier auf den Tisch ein paar Millionen Mark legte, wollte ich sehen, ob man mich für Irrsinnig halten würde!«

Graf Dürckheim machte ihm den Vorschlag, sofort anspannen zu lassen und nach München zu fahren, um sich dem Volke zu zeigen. Alle würden ihm zujubeln.

Der König indes erklärte:

»Die Luft in der Stadt bekommt mir nicht, zumal es die Verschwörer nicht würden geschehen lassen, sie würden mich schon in Sendling abfangen und arretieren, noch bevor ich ein Wort an mein Volk würde richten können.«

Dann schlug Graf Dürckheim dem König vor, anspannen zu lassen und sich mit ihm über die Grenze nach Tirol zu begeben. In einer Stunde seien sie frei. Dieser Entschluss sei jedoch sofort zu fassen. Denn unzweifelhaft würden in kurzer Zeit von der neu proklamierten Regierung in München Vorkehrungen getroffen werden, die ihn in seiner freien Bewegung hemmen würden!

Der König antwortete auch auf diesen Vorschlag ausweichend:

»Ich bin müde; ich kann jetzt nicht fahren; was soll ich in Tirol machen?«

Schließlich gab ihm der Flügeladjutant den Rat, das in Kempten stationierte Jägerbataillon zur Verteidigung nach Neuschwanstein zu beordern. Die hierzu erforderlichen Telegramme sollten nicht in Bayern, sondern im nahegelegenen Österreich zur Post gebracht werden. Dürckheim vermutete, dass auf Weisung der Münchner Regierung Anordnungen des Königs in Bayern selbst nicht mehr ausgeführt werden würden.

Aber der König wollte auch hiervon nichts wissen:

»Aber mein treuer Dürckheim, mein ganzes Leben lang war mir Kampf und Gemetzel verhasst, sollte jetzt am Ende meinetwegen noch Blut vergossen werden?«

Letztendlich willigte der König ein, von Graf Drückheim einige Telegramme im nahegelegenen Österreich aufgeben zu lassen. Die Telegramme richteten sich an den österreichischen Kaiser, einige Oppositionsführer und an den Reichskanzler Bismarck, mit der Bitte um Beistand.

Noch während Graf Dürckheim zum Zwecke seines Auftrags in dem österreichischen Grenzort Reutte weilte, telegraphierte Bismarck seine Antwort. Zurück im Schlosse Neuschwanstein legte der Flügeladjutant seinem König die Depesche des Reichskanzlers vor:

»Seine Majestät soll sofort nach München fahren, sich seinem Volke zeigen und selbst sein Interesse vor dem versammelten Landtag vertreten.«

Diesen Vorschlag kannte der König schon – davon wollte er nichts wissen. Gerade fing er zu lamentieren an, als der Graf wiederum mit einem Telegramm vorstellig wurde. Diesmal ein Telegramm des Kriegsministers gerichtet an:

Hauptmann, Graf Alfred von Dürckheim-Montmartin. Der Kriegsminister verlangte, dass sich der ergebene Flügeladjutant des Königs unverzüglich nach München zu begeben hätte. Verzweiflung lag in Ludwigs Stimme, als er sein Wort an den Grafen richtete:

»Mein treuer Dürckheim, ich habe keinen Menschen auf Erden, dem ich mehr vertrauen würde als Ihnen, so mögen Sie mich doch nicht verlassen!«

Der Graf telegrafierte zurück, dass er nicht gedenke, den König zu verlassen!

Mittlerweile war bereits die Nacht angebrochen. Der Kammerlakai Mayer meldete gehorsamst, dass vor dem Schlosse die ergebenen einheimischen Gendarmen von einer Münchner Gendarmerie-Mannschaft abgelöst wurden. Das Schloss stünde nun unter Bewachung der Münchner Schergen.

Bald darauf erhielt Dürckheim erneut ein Telegramm vom Kriegsminister. Diesmal wurde ein Befehl des Prinzregenten Luitpolds übermittelt: Er müsse sich angesichts dieser Aufforderung nach München begeben, andernfalls würde er als Hochverräter angesehen werden! Nachdem Ludwig diese Aufforderung gelesen hatte, wich jegliche Energie aus seinem Körper, jede Widerstandskraft war erloschen. Seine Verfassung war herzerweichend, als er sagte:

»Mein treuer Dürckheim, ich sehe ein, dass Sie zurückkehren müssen, sonst ist Ihre Karriere und Zukunft verloren. Mich schleudert man von der höchsten Höhe in ein Nichts, man vernichtet mein Leben, man erklärt mich lebend für tot, das halte ich nicht aus. Wenn man mir die Krone aberkannt hätte, das würde ich ertragen haben. Aber dass man mir den Verstand aberkennt, mir die Freiheit nimmt und mich wie meinen Bruder behandelt, nein, das ertrage ich nicht, ich will diesem Schicksal entgehen, man treibt mich in den Tod. Ich mache meine

Rechnung mit dem Himmel und dem Vogt. Graf Dürckheim, erweisen Sie mir einen letzten Dienst bevor Sie gehen?«

Dürckheim ward ob dieser Rede das Herz schwer geworden:

»Majestät wissen um meine Ergebenheit!«

»Dürckheim, bringen Sie mir Gift!«

»Um Gottes Willen Majestät! Selbst wenn ich meine Hand zu so einem Verbrechen reichen wollte, wo sollte ich das Gift hernehmen?«

»Aus der Apotheke! In Schwangau und Füssen gibt es derer genug!«

»Aber Majestät, die Wachen! Würde ich das Schloss verlassen, es gäbe kein Zurückkommen, die Münchner Schergen würden mich nicht mehr einlassen.«

Es waren fürchterliche Momente. Die Verzweiflung breitete sich in den Herzen der beiden Männer aus. Noch lange suchten sie nach einem Ausweg, nach Möglichkeiten dieser hoffnungslosen Lage zu entrinnen, aber die Situation schien ausweglos.

Der König war bereits in seinem eigenen Schloss ein Gefangener.

Beim ersten Morgengrauen verabschiedeten sich König Ludwig II. und sein Flügeladjutant Graf Dürckheim auf herzzerreißende und rührende Weise. Es sollte das letzte Mal gewesen sein, dass sich die befreundeten Männer in ihrem irdischen Leben sehen.

Nachdem Graf Dürckheim dem Befehl des Kriegsministers gefolgt ist und sich auf den Weg nach München gemacht hatte, begab sich Ludwig in den Thronsaal. Er schickte seinen Kammerlakai Mayer nach dem Diener Alfons Weber.

Als Weber eintrat, schritt der König auf und ab. Eine unheimliche Stille lag über dem großen Saale, nur der Widerhall Ludwigs Schritte war zu vernehmen. Unvermittelt blieb er stehen und richtete folgende Worte an Weber:

»Glaubst du an die Unsterblichkeit der Seele?«

Der Diener bejahte.

»Ich glaube auch daran«, erwiderte der König. »Ich glaube an die Unsterblichkeit der Seele und an die Gerechtigkeit Gottes. Ich habe viel über Materialismus gelesen. Er befriedigt nicht; er ist nicht erhaben, denn da stände der Mensch ja auf gleicher Stufe mit dem Tiere.«

Der König pflegte im Auf- und Abgehen seine weiteren Gedanken laut zu äußern:

»Es ist doch ein verlorenes Leben, wenn man all seiner Freuden beraubt wird. Weggesperrt, ein Schattendasein soll ich fristen; meine Schaffenskraft wollen sie ersticken, verhindert soll ich werden an der Fertigstellung meiner Schlösser; vorbei soll es sein mit meinen nächtlichen Kutschfahrten; fernhalten will man mich von meiner geliebten Bergwelt; keine Privatvorstellungen mehr im Theater! Das ertrage ich nicht, das ist ein verlorenes Leben! –

Ich könnte es nicht ertragen, dass es mir ergeht wie meinem Bruder Otto, dem jeder Wärter befehlen darf und dem man mit Fäusten droht, wenn er nicht folgen will, das überlebe ich nicht! –

Sage meinem treuen Friseur Hoppe, wenn er morgen kommt um meine Haare zu machen, er möge meinen Kopf in der Pöllatschlucht suchen. Vom Turm will ich mich stürzen, da mir Gift verwehrt wird! –

Gott möge mir diesen Schritt gnädig verzeihen. –

Meiner Mutter kann ich den Schmerz nicht ersparen, den ich ihr bereite, möge Gott ihr in der Trauer beistehen – aber mein Blut komme über all die, welche mich verrieten. Mein Oheim Prinz Luitpold zuallererst. – Ein schöner Verwandter; maßt sich die Herrschaft an und lässt mich gefangen nehmen. Das ist kein Prinzregent, das ist ein Prinzrebell!«

Ludwig trat vom Thronsaale auf den Balkon hinaus. Weber stockte der Atem. Er hatte große Sorge, dass sich Ludwig vom Balkon stürzen würde. Eilig schritt er hinterher und erhob seine Stimme:

»Majestät, bitte bedenken Majestät, stürzte man sich hinab – der Körper würde gar sehr leiden und für die Aufbahrung des Leichnams ergäbe dies ein schreckliches Bild.«

Der König stützte seinen Kopf mit beiden Händen und blickte stumm und still auf die sich vor ihm ausbreitende, herrliche Landschaft. Er blickte an der Mauer hinunter in die Tiefe. Langsam erhob er sein Haupt und sprach:

»Weber, du hast Recht. Ein Sturz von der Höhe würde einen Körper arg entstellen. – Ertränken! Ja, Ertränken ist ein schöner Tod – und keine Verstümmelung.«

Noch einmal ließ der König seinen Blick über das wunderbare Panorama schweifen. Es war als wolle er Abschied davon nehmen. Er ging zurück in den Thronsaal und schritt dann wortlos durch die wenigen, bereits fertiggestellten Räume des Schlosses. Dabei winkte er grüßend mit der Hand zu den Wänden empor. Weber folgte ihm von einem Zimmer zum anderen, wartete aber immer diskret vor der Türe.

Im Arbeitszimmer angelangt, forderte Ludwig Weber auf einzutreten. Er entnahm seinem Schreibtisch 1.200 Mark in Goldstücken und legte sie dem Diener hin: »Hier hast du mein letztes Geld, du hast es verdient, du warst mein getreuester Diener.«

Weber rührte sich nicht, er starrte fassungslos auf das Geld. Der König wollte ihn aufmuntern, das Gold an sich zu nehmen:

»Nimm es nur, ich brauche kein Geld mehr!«

Als Weber immer noch regungslos dastand bemerkte Ludwig, dass diesem dicke Tränen aus den Augen kullerten. Ob dieser Kunde des Mitgefühls schenkte er ihm auch noch eine seiner Hutagraffen, nicht ohne ihm gleichzeitig eine Anweisung auf 25.000 Mark Entschädigung auszustellen, für den Fall, dass die Agraffe von der Schatzkammer, in die sie gehörte, zurückgefordert werden sollte.

Er wollte nun einen Spaziergang am Alpsee machen, hierzu ließ er seinen Leibkutscher Osterholzer rufen, der einspannen sollte, um ihn an den See zu bringen. Doch dafür war es schon zu spät. Wie sich herausstellte hatte Osterholzer Hohenschwangau bereits verlassen. Man drohte ihm sofortige Verhaftung, wenn er sich nicht umgehend in München melden und die Befehle von Luitpolds Anhängern befolgen würde.

Deprimiert ob dieser Meldung sprach Ludwig:

»So möchte ich wenigstens einen Spaziergang machen, runter zur Gumpe des Pöllatwasserfalls!«

Unter Schluchzen entgegnete Weber:

»Aber Majestät, wie sollte Ihrem Wunsch stattgegeben werden, da doch das ganze Schloss von Münchener Gendarmerie umstellt ist?«

Einsehend, dass ein Spaziergang nicht durchzuführen wäre, schickte er Weber fort und zog sich selbst zurück in sein Schlafgemach. Er bestellte beim Kammerlakai Mayer eine Kanne Rum mit Gewürznelken und eine Flasche Champagner. Außerdem sollte ihm dieser den Schlüssel für den Turm bringen.

Als Mayer ihm Rum und Champagner servierte, meldete er dem König, dass der Turmschlüssel verlegt sei. Gereizt rief Ludwig dem Kammerlakai zu:

»Was heißt verlegt!? Wenn der Turmschlüssel nicht aufzufinden ist, dann begebt euch auf die Suche! Nachts um halb eins bin ich geboren, um halb eins will ich sterben! Bringt mir den Schlüssel!«

Es ward bereits Nacht geworden und der König begann zu trinken. Wie stets machte ihn der übermäßige Alkoholgenuss nicht betrunken, sondern nur noch mehr aufgeregt. Immer wieder rief er Mayer und verlangte nach dem Turmschlüssel. Mayer versicherte jedes Mal auf ein Neues, das die gesamte Dienerschaft angewiesen sei, den Schlüssel zu suchen, umgehend würde ihm dieser gebracht werden sobald man seiner fündig werde.

Der König wusste, es konnte nur eine Frage der Zeit sein, bis sie – diese Tintengiftschmierer des ›Prinzrebellen‹ – ihn holen würden. Er wollte sich Mut antrinken, um seinem Schicksal ins Auge sehen zu können.

Bereits am Nachmittag dieses Tages hatte eine zweite Deputation München verlassen. Diesmal konnte Dr. von Gudden seinen Willen durchsetzen, dass lediglich eine Ärztekommission, ohne Begleitung offizieller, staatlicher Würdenträger, den König in Gewahrsam nehmen sollte. Die neue Gruppe bestand aus zwei Irrenärzten, Dr. von Gudden selbst und Dr. Müller, fünf Irrenpflegern und einem Gendarmerie-Offizier.

Gegen Mitternacht kam die zweite Deputation in Neuschwanstein an. Noch bevor sie aus der Kutsche aussteigen konnte stürzte ihnen der Kammerlakai Mayer entgegen. Die Herren sollten sofort in die Gemächer des Königs hinaufgehen. Der König sei in großer Aufregung, er habe schon mehrmals nach dem Turmschlüssel gefragt. Man hatte ihm diesen bislang nicht ausgehändigt, da man befürchte, dass sich der König aus dem Fenster hinausstürzen würde.

Da galt kein langes Zaudern. Dr. von Gudden dachte sich rasch einen Plan aus: Mayer sollte dem König den Schlüssel zum Turm bringen und sagen, dieser wäre soeben gefunden worden. Inzwischen sollte die

Kommission, verstärkt durch einige Gendarmen, in zwei Gruppen geteilt werden. Ein Teil der Pfleger sollte die Wendeltreppe zum Turm ersteigen, um dem König nach oben den Weg abzuschneiden; die übrigen würden sich so verstecken, dass sie ihm den Rückweg zum Schlafgemach versperren konnten. – Und so geschah es.

Ludwig, der Mayer vertraute, ging in die Falle.

Mit dem Turmschlüssel in der Hand verließ er festen Schrittes sein Schlafgemach. Kaum war er im Korridor, fassten ihn die Irrenpfleger blitzschnell an den Armen und hielten ihn fest. Dann trat Dr. von Gudden vor und sprach: »Majestät! Es ist die traurigste Aufgabe meines Lebens, die ich übernommen habe. Majestät sind von vier Irrenärzten begutachtet worden und nach deren Ausspruch hat Prinz Luitpold die Regentschaft übernommen. Ich habe den Befehl, Majestät nach Schloss Berg zu begleiten und zwar noch diese Nacht. Der Wagen wird um vier Uhr vorfahren.«

Der König stieß nur ein kurzes schmerzliches »Ach!« aus. Von den Pflegern zurück in das Schlafzimmer geführt, stellte Dr. von Gudden alle Anwesenden einzeln vor.

Ein starker Geruch von Arrak lag in der Luft – die Kanne mit Gewürznelken und die Flasche Champagner waren geleert. Die Pfleger ließen Ludwig los und gingen rasch zu den Fenstern, um diese zu sichern. So frei im Raum stehend schwankte Ludwig; er schwankte leicht nach vorne, nach hinten und nach den Seiten. Auch seine Stimme schwankte als er sein Wort an Dr. von Gudden richtete:

»Wie kommen Sie dazu, mich für irrsinnig zu erklären, da Sie mich heute zum ersten Male sehen und mich nie untersucht haben?«

Dr. Gudden antwortete, es wäre nicht notwendig gewesen ihn zu untersuchen, denn das Aktenmaterial wäre sehr reichhaltig, geradezu erdrückend und vollkommen beweisend. Majestät bedürfe nun der Pflege, und er wolle ihm diese infolge des Auftrages des Prinzregenten zuteilwerden lassen.

Des Königs Gesicht verzog sich zu einer gequälten Fratze als er folgende Worte zwischen seinen Lippen hervorpresste:

»So? Also Prinz Luitpold hat es jetzt glücklich soweit gebracht, dazu hätte er nicht so einen Aufwand von Schlauheit betreiben müssen! Hätte er nur ein Wort gesagt, dann hätte ich die Regierung niedergelegt. Nun, wie lange glauben Sie, wird es dauern, bis ich vollständig geheilt bin?«

»Majestät, in der Verfassung steht, wenn der König länger als ein Jahr durch irgendeinen Grund an der Ausübung der Regierung gehindert ist, dann tritt die Regentschaft ein. Also würde ein Jahr vorläufig der kürzeste Zeitraum sein. Was darüber hinausgeht, hängt von Majestät selbst ab.«

»Nun, es wird wohl rascher gehen, man kann es ja so machen wie mit dem Sultan, es ist ja leicht, einen Menschen aus der Welt zu schaffen.«

»Majestät, darauf zu antworten, verbietet mir meine Ehre.«

Ludwig senkte sein Haupt und räumte mit bebender Stimme ein:

»Ich sehe ein, dass ich sehr erregt bin.«

Bewacht von den Irrenpflegern verbrachte Ludwig die folgenden Stunden in seinem Schlafgemach. Dr. von Gudden stellte ihm eine Reihe von Fragen und ein weiteres Gespräch bezog sich auf die künftigen Lebensverhältnisse des Königs. Unentwegt unter Aufsicht sollte er stehen, solange bis er sich in seine Lage gefügt hätte und eine weitere Bewachung unbedenklich erscheinen würde.

Begleitet von den Irrenärzten und Irrenpflegern verließ der leichenblasse Ludwig kurz vor vier Uhr langsamen Schrittes sein Schlafgemach. Seine Haltung war würdevoll und ernst. Ein Stück weiter im Korridor erblickte er den Wachtmeister Poppeler. Ruhig ging er auf ihn zu und reichte ihm zwei Finger:

»Herr Wachtmeister, haben Sie Dank für die treuen Dienste, welche Sie mir leisteten, es tut mir in der Seele weh, Ihnen und der Mannschaft es nicht Danken zu könne. Leben Sie wohl, mich sehen Sie nicht mehr.«

Als sich eine Tür öffnete und der Schlossdiener Stichel in Erscheinung trat, ging Ludwig auch auf ihn zu und gab ihm die Hand:

»Stichel, leben Sie wohl, bewahren Sie diese Räume als Heiligtum, lassen Sie das Schloss nicht profanieren von Neugierigen, denn ich habe darin die bittersten Stunden meines Lebens durchlebt.«

Bevor er um vier Uhr seine Kutsche besteigen sollte, nahm er noch in rührender Weise von einigen anderen Dienern Abschied.

Dann setzte sich ein Zug, bestehend aus drei Wagen und einigen Berittenen, in Bewegung. Der König durfte im mittleren Wagen alleine sitzen, es waren aber die Drücker von innen entfernt, seine Türen konnten nur von außen geöffnet werden.

Es war ein ergreifender Anblick, wie sich in einzelnen Ortschaften Menschen auf die Knie warfen, als sie der Kutsche des Königs ansichtig wurden. Der stattliche Zug erreichte am 12. Juni 1886 um 12:12 Uhr Schloss Berg am Starnberger See – und das war der Anfang vom Ende.

Das Ende vom Ende

Der Ausgang des Geschehens vom 13. Juni 1886

Unruhig tänzeln an diesem Abend die vom Wind aufgepeitschten Wellen des Sees und schwappen geräuschvoll ans steinige Ufer. Unweit des Schlosses Berg treiben zwei Leichen im Starnberger See. Über jedem Leichnam schwebt eine Luftgestalt.

Was war geschehen? Ludwig ist völlig durcheinander; jetzt schwebt er als Luftgestalt über dem See, unter sich kann er seinen toten Körper und den Dr. von Guddens sehen. Er ist dem verhassten Arzt noch eine Antwort schuldig, dieser verlangte gerade zum wiederholten Male, er möge mit ihm zurückkehren zum Schlosse.

»Dr. Gudden, es ist vorbei! Ich begebe mich unter keinen Umständen in irgendeine verordnete Pflege! Mein Körper liegt tot im See und wenn ich nicht irre, ebenso der Ihrige. In diesem leblosen Zustand ist es mir unmöglich, mich mit meinem Körper zurück ins Schloss zu begeben, um weiterhin von Ihnen und Ihrer Bande weggesperrt zu werden. Sie können über meine leiblichen Überreste verfügen – aber mein Geist ist frei!«

Ludwig erinnert sich an die Ausführungen seines verehrten Theologielehrers Döllinger zum Fegefeuer. Dieser sagte, dass das Fegefeuer eine Art Seelenwanderung sei. Das Fegefeuer ist ein Zustand, in dem Seelen die Möglichkeit bekämen, Verfehlungen und Sünden wieder gut zu machen.

In so einem Zustand musste er sich jetzt befinden – denn die Qualen der Hölle stellte er sich anders als seinen momentanen Zustand vor. Er fühlt sich ausgesprochen leicht und unbeschwert, wie in seiner Kindheit und Jugend. Damals war er noch schlank und athletisch, sein Körper strotze vor Energie und er musste sich keine

Gedanken um die leidigen Regierungsgeschäfte machen. Man könnte sagen, dass er damals glücklich war. Ja, und so ähnlich wie damals fühlt er sich jetzt – wenigstens, und das ist nicht übertrieben, ein bisschen glücklich!

Die Idee, dass er sich wegen seines guten Gefühls vielleicht im Himmel befinden könnte, kommt ihm absurd vor. Ein Himmel mit Dr. Gudden, einem Verräter, das ist völlig ausgeschlossen.

Nach reiflicher Überlegung ist sich Ludwig nun sicher, im Fegefeuer zu verweilen. Wie war das? Was meinte Döllinger noch?

»Befindet man sich im Zustand der Seelenwanderung, könne man sich an jeden erdenklichen Ort denken.« Ludwig grübelt: Wenn ich also denken würde ich wäre, hm, hm, wo könnte ich mich denn hindenken?

Er blickt um sich, sieht wieder die Gestalt Dr. von Guddens, die immer noch über dessen Körper schwebt und bemerkt, dass dieser nach wie vor auf ihn einredet. Dabei macht er eine interessante Entdeckung: Wenn Ludwig Dr. Gudden ignoriert und seine Gedanken konzentriert auf etwas anderes richtet, finden dessen Worte keinen Zugang in sein Ohr. Aber im Grunde genommen ist es ihm einerlei, ob Dr. Guddens Worte nun sein Ohr erreichen oder nicht – die Gegenwart von dessen Gestalt ist es, was ihm Unbehagen bereitet.

Sodann unternimmt er seinen ersten Versuch im ›wegdenken‹. Er stellt sich vor zwischen den Sträuchern der nahegelegenen Uferböschung zu sein. Und – ein Jubel durchflutet ihn – es ist gelungen! Kaum nahm er die Sträucher, zu denen er sich hin wünschte, in Augenschein, schon war er dort!

Neugierig späht er rüber zu Dr. Gudden. Der starrt ganz verdutzt auf die Stelle, an der Ludwigs Geist eben noch war. Aufgebracht hört Ludwig den Irrenarzt rufen:

»Zauberei! Es ist Zauberei im Spiel! Der König ist verschwunden! Wachen!«

Ludwig überkommt eine spitzbübische Freude. Die Wachen ruft er jetzt, pah, dabei hat er sie selbst weggeschickt dieser Herr Obermedizinalrat. Der Irrenarzt glaubte so sehr an die Gefügigkeit seines Patienten, dass er die Anordnung traf, es sollten beim Spaziergang keine Wachen folgen. Dieser Gudden hat keine Ahnung von der Psyche eines Menschen, jedenfalls nicht von meiner – so denkt der König jetzt.

Oh, was sieht er da? Ludwig erspäht einen wandernden Schatten im Schlosspark. Nein, es sind mehrere Gestalten, die im Park umher laufen. Von seinem Platz im Gebüsch überblickt er sowohl den See als auch den, in Dämmerung getauchten, Schlosspark. Für diese Jahreszeit ist es zu kalt und zu nass, denkt er. Über dem See liegen die ersten Nebelschwaden. Die Gestalt Guddens ist in dem Nebel kaum noch auszumachen, dafür ist seine aufgebrachte Stimme lautstark zu hören. Er ruft immer noch nach den Wachen.

Ludwig dreht sich wieder hinüber zum Schlosspark und sieht, wie ein Gendarm langsamen Schrittes in seine Richtung kommt. Das beunruhigt ihn. Kann ihn der Gendarm in seinem Zustand sehen? Noch ist dieser außer Hörweite, aber bald wird der Ordnungshüter die Rufe Guddens hören können. Vorsichtshalber beschließt Ludwig, sich von der Stelle zu denken. Wieder hinüber, auf den See, ich muss Gudden beschwichtigen, so schießt es ihm durch den Kopf. Schnell denkt er sich an die Stelle neben Dr. von Gudden zurück.

Ludwig ist entzückt, es funktioniert! Kaum hingedacht, schon ist er dort, in Sekundenschnelle, ohne jegliche Anstrengung. Dr. Gudden, bass erstaunt über das plötzliche Wiederauftauchen des Königs, poltert gleich los:

»Majestät! Wo waren Majestät? Es ist Allerhöchstderselben nicht gestattet sich zu entfernen!«

»Aber Dr. Gudden, ein Rätsel ist es mir, wie Sie zu der Annahme kommen, ich hätte mich entfernt. Getreu steh ich Ihnen zur Seite, keine größere Freude könnte mich ereilen als gepflegt zu werden von einer Kapazität wie der Ihren.«

Ludwig bemerkt, dass es ihm gelungen ist Dr. Gudden zu verwirren. In unsicherem Tonfall entgegnet dieser:

»Aber Majestät, wie geht es zu, dass ich Majestät aus den Augen verlieren konnte?«

»Vielleicht waren die Anstrengungen der letzten Tage zu viel für Sie, Sie hatten wenig Schlaf, Schlafentzug lässt uns ›Bilder‹ sehen, die nicht sind – oder ist Ihnen einfach nicht wohl?«

»Majestät kränken mich in meiner Ehre! Meine Patienten sehen für gewöhnlich ›Bilder‹ – ich nicht! Ich bin darüber erhaben!«

Ludwig hat große Lust sich wieder wegzudenken, aber gerade jetzt zwängt sich, nur einen Steinwurf von ihnen entfernt, der Gendarm Max Lechl durch das Weidengebüsch ans Seeufer. Sollen sie nicht entdeckt werden, muss er Dr. Gudden zum Schweigen bringen und ablenken!

Gudden sprach von ›Bildern‹; dunkel drängt sich das Bild einer Frau in Ludwigs Erinnerung. Eine Frau mit tropfendem Rocksaum, blau schimmerndes Haar, ein wunderschönes, ebenmäßiges Gesicht, die Haut so blass und blau wie das Wasser des Sees. Ihr sirenenhafter Gesang lockte ihn an...

Davon will er Gudden erzählen. Schnell denkt er sich unmittelbar neben Guddens Gestalt und spricht zu ihm mit leiser Stimme:

»Dr. von Gudden, wir sprachen soeben von ›Bildern‹; mir war so, als hätte ich eine Frau gesehen; über das Wasser wandelnd.«

Er wirft noch mal geschwind einen Blick auf den Gendarm Lechl, dieser hat sich jetzt glücklicherweise von ihnen abgewandt. Der Gendarm geht wieder Richtung Schloss und sucht langsam das Ufer ab. Ludwig zeigt in die andere Richtung und fährt flüsternd fort:

»Dort drüben vernahm ich ihren himmlischen Gesang, sie schien mir nicht von dieser Welt, so schön und zart und schimmernd war ihr Antlitz.«

Dr. von Gudden lässt sich nicht auf den vertraulichen Flüsterton Ludwigs ein und antwortete mit lauter Stimme:

»Majestät, dieses Phänomen nennt man Halluzination, eine Krankheit...«

Ludwig befürchtet, dass der Max Lechl ob dieser lauten Rede auf sie aufmerksam werden könnte und noch bevor Gudden zu Ende sprechen kann denkt sich Ludwig seine Hand auf dessen Mund, um ihm diesen zuzuhalten. Ein Schauder durchzuckt ihn! An der Stelle, wo seine Hand den Mund Guddens hätte berühren sollen, war kein Mund vorhanden. Es fühlte sich an, als hätte er seine Hand in Wasserdampf gehalten.

Dr. Gudden, im ersten Augenblick ebenfalls erschrocken wegen des plötzlichen Übergriffs, fasst sich schnell wieder und schimpft erregt los:

»Majestät! Dies ist nun schon der zweite Angriff Seiner Majestät gegenüber meiner Person! Die erste Attacke endete damit«,

– und er deutet hinunter auf seine treibende Leiche –

»Wie oft gedenken Majestät mich noch zu würgen? Wollen Majestät nun an ein und derselben Person zum Doppelmörder werden? Womit habe ich diese Behandlung verdient? Wie viel Unglück muss noch geschehen, dass Seine königliche Hoheit einsichtig werden; zu Vernunft kommen; sich in meine Pflege begeben?«

Bereit sich jeden Moment weg zu denken, verharrt Ludwig ganz still und starrt gebannt auf Lechl. Der muss doch dieses Jammergeschrei hören und nun endlich in ihre Richtung blicken. Aber nichts dergleichen geschieht. Durchaus in Hörweite sucht der Gendarm weiterhin seelenruhig das Ufer ab. Wie kann er nur Dr. Guddens Gezeter überhören?

Eine Ausführung Döllingers kommt ihm in den Sinn: »Das Fegefeuer ist ein Zustand der Seelenwanderung, alles geschieht auf einer geistigen Ebene, jenseits der Materie...«

– und jenseits der Materie scheint zu bedeuten, dass ich Materie wahrnehmen kann, aber Materie nicht mich; deswegen kann Lechl das Gezeter Guddens nicht hören! Wahrscheinlich kann er uns auch nicht sehen?

Dr. Gudden, von Ludwigs starrem Blick angezogen, schaut nun ebenfalls in die Richtung des Gendarmen. Kaum hat er ihn entdeckt, schon ruft er los:

»Herr Wachtmeister hierher, hierher! Wachtmeister so kommen Sie doch hierher! Wache! Wache! Herr Gendarm! Herr Wachtmeister!«

Schadenfreude überkommt Ludwig, denn der Gendarm reagiert nicht.

»Ach Dr. von Gudden, es ist wirklich bedauerlich, dass der Gendarm Sie nicht hören kann. Warum gehen Sie nicht hinüber zum Ufer und erklären ihm, dass Ihre Leiche hier im See liegt?«

»Majestät, Majestät halten mich zum Narren, wie sollte es mir gelingen zu ›gehen‹, wo doch mein Körper gar leblos, ...«

– und Dr. Gudden bricht in jämmerliches Schluchzen aus.

Ludwig konnte Jammerei noch nie leiden. Aber er ist höchst neugierig, ob er in seinem jetzigen Zustand für

Menschen tatsächlich unsichtbar ist. Er selber will es nicht wagen, Lechl zu nahe zu kommen. So gibt er Gudden den Tipp, sich einfach zum Gendarm hinüberzudenken.

Dr. Gudden, immer noch schniefend, will nicht glauben, dass Fortbewegung so einfach funktionieren kann. Dann probiert er es aber doch. Er denkt sich ans Ufer zu Lechl – und schon ist er dort! Gleich redet er auf diesen ein:

»Herr Wachtmeister, gestatten, Professor Dr. von Gudden ist mein Name. Würden sie wohl die Freundlichkeit besitzen Majestät und mich zum Schloss zu geleiten?«

Obwohl Dr. Gudden nur zwei Schritte vor dem Gendarm schwebt und diesen mit lauter Stimme angesprochen hat, blickt der durch ihn hindurch und geht seelenruhig weiter. Verzweifelt spricht Dr. Gudden ihn noch mehrmals an – ohne Erfolg. Schließlich denkt er sich direkt neben Lechl und will diesen an der Schulter rütteln, aber seine Hand geht durch die Schulter hindurch. Zornig ruft er aus:

»Herr Wachtmeister, ich bin persönlich von Prinzregent Luitpold für die Pflege von Majestät beauftragt, wenn Sie meinen Anweisungen nicht Folge leisten werde ich Sie wegen Befehlsverweigerung vor den Richter bringen!«

Ludwig hat die Szene genau beobachtet. Jetzt traut er sich einzuschreiten. Er denkt sich ans Ufer zu den beiden rüber.

»Dr. von Gudden, so lassen Sie doch diesen braven Mann in Ruhe! Wann wollen Sie nun endlich begreifen, wir haben das Irdische, die Materie verlassen. Menschen ist es nicht möglich uns wahrzunehmen.«

»Majestät, ich bin erschüttert! Mir wird ganz bang, gar zu gruselig was sie verlauten. Das würde ja bedeuten, dass ich Majestät nicht mehr zurück ins Schloss bringen kann. Wie soll ich das der Kommission erklären? Wenn ich meinen Kollegen von unserer derzeitigen Lage berichte, zweifeln die an meinem Verstand!«

»Es wird nicht mehr möglich sein Bericht zu erstatten, keiner kann sie hören! Wenn ich den Ausführungen meines verehrten Theologielehrers Döllinger Glauben schenken darf, befinden wir uns im Fegefeuer. Ein Zustand der Seelenwanderung, indem wir für unsere Sünden zu büßen haben.«

Just in diesem Moment sehen die beiden, wie sich eine Gestalt mit zwei Laternen durch die Weidenböschung ans Ufer zwängt. Die Dämmerung hat die Landschaft schon in dunkle Grautöne getaucht. Im Schein der Lampen ist eine Gendarmerie-Uniform zu erkennen. Max Lechl ruft seinem Kollegen zu:

»Schorsch, doher, do bin i! Kim grad vom Bankl, wo d'Herrschaften heit früa gsessen san.« (Georg, hierher, hier bin ich! Ich komme grade von der Bank, auf welcher die Herrschaften heute Morgen saßen.)

Schorsch antwortet:

»Maxl? A, do bist du. I kan di ja kaum seng, so finsta is des scho. Hast was gfundn?« (Max? Ach, hier bist du. Es ist schon so finster, dass ich dich kaum sehen kann. Hast du etwas gefunden?)

»Naa, da heruntn am See is nix, de zwoa de san wia vom Erdbodn verschluckt dahi.« (Nein, hier unten am See ist nichts, die beiden scheinen vom Erdboden verschluckt zu sein.)

»Hoffentlich is a eana abghaut, da Kini, gfrein dat`s mi! – Da schau her Maxl, i hab dia a Liacht mitbracht – und an Befehl: mia solln im Schloss beim Irrendoktor und beim Baron vorstellig werdn.« (Hoffentlich ist der König entkommen, das würde mich freuen! Hier Max, ich hab dir eine Laterne mitgebracht – und einen Befehl: wir sollen uns im Schloss beim Irrendoktor und beim Baron melden.)

»Ja, nachad gemma hoit zruck. – Schorsch, des is scho a rechte Sauerrei, was de mit unsam Kini macha!« (Ja, dann gehen wir halt zurück. – Georg, es ist wirklich eine Schweinerei was die mit unserem König machen!)

»Maxl, jetzad sog i da was, des muas aba unta uns bleim! I hob heid an ganzn Dog an Major Hornig, den oidn Spezie vom Kini, mit seim Bruada und an Grafn Rambaldi gseng, wias mit am Kahn am Ufer auf und ob gfahrn san. I hob aba dene Herrschaftn im Schloss nix gsogt. Vielleicht hom de an Kini abghoid?« (Max, jetzt sag ich dir was, das muss aber unter uns bleiben! Ich hab gesehen, dass Major Hornig, der alte Freund des Königs, mit seinem Bruder und dem Grafen Rambaldi heute den ganzen Tag mit einem Boot am Ufer auf und ab gefahren sind. Ich habe aber den Herrschaften im Schloss nichts davon gesagt. Vielleicht haben die den König abgeholt?)

Ihren Gedanken nachhängend, gelegentlich noch mit ihren Öllampen einen Blick auf das Ufer werfend, gehen die beiden wortlos zurück zum Schloss.

Ludwig triumphiert:

»Dr. von Gudden, haben Sie die Rede der beiden vernommen? Major Hornig wollte mir schließlich auch zur Flucht verhelfen! Bereits am Morgen steckte mir ein Diener einen Zettel zu, dass Baron Beck aus Eurasburg am Mitteltor des Parks mit einer Kutsche auf mich warten würde – Brave Leute! Keiner glaubt an meine Verrücktheit! An eine Verschwörung glaubt das Volk und will mir zu Hilfe kommen!«

Gudden will davon nichts wissen und drängelt Ludwig:

»Majestät, so kommen Majestät doch, denken wir uns mit den beiden zurück zum Schloss.«

Ludwig zögert, bei dem Gedanken ins Schloss zurück zu kehren beschleicht ihn ein beklemmendes Gefühl. Während er sich in den letzten Tagen auf Schloss Neuschwanstein aufhielt, veranlasste ein Irrenarzt namens Dr. Grashey den Umbau seiner Gemächer im Schloss Berg. Gucklöcher hat dieser Vandale in seine Türen reinsägen lassen; nach seiner Festnahme konnte er in seinem Schlafgemach und im Salon keinen Schritt mehr tun, ohne von einem Irrenpfleger beobachtet zu werden. Vor seine Verandatür war ein schweres Möbel gerückt, so dass er nicht mehr hinaustreten konnte. Die Türdrücker waren entfernt worden, seine Fenster mit verschließbaren Riegeln versehen. Eine unerträgliche Demütigung. Ein Gefängnis haben sie ihm im eigenen Schloss gebaut.

Wenn er es sich recht überlegt, will er diese Demütigungen nicht mehr in Augenschein nehmen. Andererseits ist Ludwig neugierig – und seine Neugierde ist sehr groß! Was wohl derzeit im Schloss passiert?

Gudden unterbricht Ludwigs Gedanken, er ist jetzt wieder neben ihm und quengelt:

»Majestät, so kommen Majestät doch, die beiden Gendarmen sind schon bald auf halbem Weg am Schloss!«

Ludwig gibt sich einen Ruck, bis zum Schloss könnte er ja mitkommen. Er weiß eh nichts Besseres zu tun. Also denkt er sich zu den mittlerweile in einige Entfernung gerückten Laternen der beiden Gendarmen hin.

Neben Max Lechl und Georg Klier angekommen, fühlt er sich leicht schwindelig. Über so eine weite Distanz hatte er sich noch nicht ›gedacht‹ und es ist ihm, als wäre ein Wind durch seine Knochen gefahren. Obwohl er noch ganz benommen ist, findet er diese Art der Fortbewegung fantastisch und unglaublich.

Jahrelang hatte er die besten Konstrukteure beauftragt, für ihn eine Flugmaschine zu erfinden, aber keiner konnte ein funktionierendes Gerät fertigen. Und jetzt kann er »fliegen« ohne Maschine! Mit dieser neu erworbenen Fähigkeit sich fortzubewegen könne ihn keiner mehr festhalten, gefangen nehmen oder einsperren. Er braucht sich nur an irgendeinen Ort denken, und schon ist er dort, und niemand kann mehr wissen wo er ist – wunderbar, einfach wunderbar. Ganz berauscht ist er von dieser neuen Erfahrung.

Ludwig hält Ausschau nach Gudden. Vor ihm am Ufer kann er bereits die Lichter des Kavalierbaus erkennen. In dem Haus am Seeufer, das auf einer kleinen Landzunge liegt, waren die Flügeladjutanten und der Leibarzt des Königs einquartiert. Vom Haus führt ein Laubengang die vier- bis fünfhundert Schritt zum Schloss hoch. Baron Washington dieser Verräter, den sie ihm als Kavalier zur Seite stellen wollten, hat sich jetzt in den Kavaliersbau eingenistet.

Die Gendarmen zwängen sich nun durch das Ufergebüsch, um über die Wiese auf das Schloss zuzugehen. Ludwig denkt sich immerzu neben ihnen her. Auch Gudden folgt ihnen mit kleinem Abstand. Die beiden sind vollauf damit beschäftigt, sich andauernd neben die Gendarmen hinzudenken.

Vor ihnen ist das hell erleuchtete Schloss. Gestalten sind zu erkennen, die aufgeregt hin und her laufen. Leonhard Huber, der Schlossverwalter, hat nahezu das ganze Schlosspersonal und die Dienerschaft zusammengerufen. Dr. Müller hat die Irrenpfleger um sich versammelt. Vor dem Eingang steht Baron Washington mit mehreren Gendarmen und Zanders, der Stabskontrolleur, mit ein paar Stallburschen.

Die Gendarmen Klier und Lechl haben es jetzt eilig, Baron Washington ihre Meldung zu machen. Im Laufschritt kommen sie vor dem Eingang an. Klier übernimmt das Wort:

»Melden gehorsamst: im südlichen Schlosspark, keine Spur von den Vermissten!«

Baron Washington scheint kaum Notiz von ihnen zu nehmen, aufgeregt ruft er all die Leute zusammen und bittet um Ruhe:

»Wie Ihnen bekannt ist, haben Seine Majestät und Dr. von Gudden heute Abend um kurz nach sechs einen Spaziergang angetreten, von dem Allerhöchstdieselben und Dr. von Gudden noch nicht zurückgekehrt sind. In Sorge ob eines eingetroffenen Unglücks ist es nun angeraten, den Schlosspark systematisch zu durchsuchen. Dr. Müller und meine Wenigkeit werden die Durchsuchung leiten. Es werden Suchtrupps gebildet; immer zwei Leute gehen zusammen; Dr. Müller übernimmt die Einteilung; vom Stabskontrolleur Zanders erhalten sie Laternen; wer seinen Bereich abgesucht hat kommt zurück; Dr. Müller und meine Wenigkeit werden hier vor dem Schloss Ihre Meldung entgegennehmen. Bitte Wegtreten!«

Gudden, der Ludwig nicht aus den Augen lässt und unentwegt neben ihm herschwebt, bekommt vom König nun Folgendes zu hören:

»*Bitte* Wegtreten! Es ist unerhört! So eine Figur wollten Sie mir als Kavalier an die Seite stellen! Dass er keine Befehle erteilen kann könnte ich ihm als Baron verzeihen, aber er ist von Berufs wegen Oberstleutnant! Entweder erteile ich einen Befehl oder ich habe eine Bitte! Ein Oberstleutnant Bittet nicht! Ungeheuerlich, was Sie mir mit dieser Person zumuten wollten!«

Gudden will dazu keine Antwort geben. Stumm schaut er auf das geschäftige Treiben vor dem Schloss. In alle Richtungen schwärmen die Männer jetzt aus, wie Glühwürmchen verlieren sich die Lichter ihrer Laternen im Park. Es wird immer ruhiger und am Ende stehen nur noch Baron Washington und Dr. Müller vor dem Schloss.

Die beiden besprechen, ob sie auch noch Fischer aus der Umgebung damit beauftragen sollen, den See abzusuchen. Aber sie haben Bedenken, Menschen von außerhalb des Schlosses in die Suche mit einzubeziehen. Sie befürchten einen Tumult, ja vielleicht sogar einen Übergriff der

Bevölkerung auf das Schloss. Baron Washington kann sich nicht vorstellen, dass im See ein Unglück geschehen konnte, denn er hatte von seinem Fenster im Kavaliersbau aus andauernd kleine Boote vorüber fahren sehen. Zudem befahl Dr. Müller mehreren Suchtrupps, das Ufer genau abzusuchen. Also verwerfen sie die Idee mit den Fischern wieder.

»Gar einiges kam mir in den letzten Stunden zu Ohren. Vorkehrungen sollen getroffen worden sein, Majestät zu befreien und Allerhöchstdieselbe nach Tirol zu entführen, dort soll sogar, wie gefabelt wird, ein Teil der Bevölkerung bewaffnet zum Schutz des Königs warten.«

So sprach Baron Washington und Dr. Müller antwortet:

»Ja, Majestät wird von Seinem Volk geliebt. Was auf die Minister nicht allesamt zutrifft. Die Minister verlauten, dass Majestät zuviel Geld für's Schlösserbauen ausgegeben hat, Kasernen wären ihnen lieber gewesen.«

Die ersten Lichter kehren zurück und die ausgeschickten Leute melden, dass von Seiner Majestät und Dr. Gudden nichts zu finden sei. Immer mehr Patrouillen finden sich vor dem Schloss ein, alle melden, sie hätten nichts gefunden. Dr. Müller sagt schließlich zu Baron Washington:

»Ich glaube, sie sind beide tot.«

Baron Washington wird ganz blass, dieser Gedanken streifte ihn auch schon, er getraute sich aber nicht ihn auszusprechen. Gerade als er antworten will, stürmen die beiden Gendarmen Klier und Lechl auf den Eingang zu, man kann ihnen ansehen, dass sie sehr aufgeregt sind. Völlig außer Atem melden sie im Chor:

»Draußen, vor dem geschlossenen Mitteltor des Parks sind frische Wagenspuren, sie führen in Richtung München davon!«

Ludwig, dem Menschenansammlungen von jeher verhasst waren, fühlt sich inmitten dieses hektischen Treibens nicht mehr wohl. Er weiß selbst, dass der Wagen am

Mitteltor des Parks für seine Flucht bereit stand, nur die Flucht war ihm eben nicht gelungen. Ihm wird langweilig. Er will ins Schloss und hofft, dass sich dort jetzt niemand aufhalten würde. Er denkt sich in die Eingangshalle des Schlosses. Alleine und in Ruhe will er noch einmal durch seine Wohngemächer im zweiten Stock gehen, oder besser gesagt: schweben. Als er die Treppe, die nach oben führt erreicht, ergreift ein heftiger Schauder seine luftige Gestalt. Der Genius, ein üblicherweise aus Stein gemeißelter Schutzgeist, den er erst kürzlich bei dem Bildhauer Nepomuk in Auftrag gegeben hatte, wurde anscheinend in den letzten Stunden angeliefert und steht jetzt am Treppenabsatz; aber nicht als Schutzfigur sondern als Todesgenius!

Ludwig bleibt wie angewurzelt im Raum hängen und stottert:

»A a aber wa was was ist dennn da daas?«

Der Todesgenius zwinkert ihm freundschaftlich zu und spricht:

»Ludwig, es tut mir echt leid, ich konnte wirklich nichts machen! Ich weiß es genau, du wolltest mich als Schutzgenius haben. Der Nepomuk aber hat mich mit diesem Totenschädel in der Hand modelliert, zweimal bin ich ihm zerbrochen! Und immer wieder aufs Neue hat er ihn mir in die Hand gegeben!«

Der König ist ziemlich verwirrt, hat da gerade eine Steinfigur zu ihm gesprochen? Und ob der unangemessenen Anrede ist er empört! In seinem irdischen Leben ließ er Untertanen bestrafen, wenn sie es wagten, ihn so respektlos anzusprechen:

»Verehrter Genius, hier gilt es zunächst grundlegende formale Angelegenheiten zu klären, die technischen Details dann später!

Erstens: der Genius hat alleruntertänigst darum zu bitten, das Wort an mich richten zu dürfen!

Zweitens: das Wort der standesgemäßen Ansprache ist ›Majestät‹ oder ›Königliche Hoheit‹, in der Wiederholung dann ›Allerhöchstdieselben‹, aber keinesfalls ›Ludwig‹!

Drittens: Eine direkte Anrede gegenüber einem König ist verwerflich! Der Genius verwenden hierzu die Pronomen ›Sein‹ oder ›Er‹ – aber keinesfalls ›Du‹!

Viertens: Wenn der Genius sich an den König wendet, hat er ehrerbietig sein Haupt zu neigen – und keinesfalls vertraulich zu zwinkern!

Ich würde es sehr schätzen, wenn der Genius künftig jene Form des Benehmens wählen, welche in Gegenwart des Königs von allen Untertanen beobachtet werden muss!«

»Oje, wir Überirdischen haben es nicht so mit diesen Formsachen, tut mir leid.« Der Genius senkt nun leicht seinen Kopf, spreizt dabei seine Flügel und spricht weiter: »Alleruntergnädigster, darf ich Seiner Majestäts Allerwertesten um mein hoheitliches Untertanenwort bitten – hoffe, das war jetzt recht so? Wollte nur sagen, dass es nicht nett ist, mich so zurecht zu weisen. Wo ich dich doch immer behütend durch die Drangsale und Gefahren deines Lebens geführt habe und für deine körperliche Unversehrtheit gesorgt habe. So oft hab ich dich aufgefangen, als du beinahe vom Pferd gefallen bist, immer stand ich dir treu zur Seite, bis du entdeckt hast, dass ich nicht aus Marmor, sondern nur aus Gips bin, dann hast du mich mit deinem Schirm zerschlagen und dieser Nepomuk...«

Der Genius erstarrt wieder zu Stein und verstummt.

Dr. Müller hat soeben die Halle betreten. Er hat eine hochernste Miene aufgesetzt und rauscht jetzt an dem Genius und Ludwig vorbei zum Telegrafen. Zuerst schickt Müller eine Depesche an Oberst Freyschlag, den Adjutanten des selbst ernannten Prinzregenten. Dann informiert er in einem weiteren Telegramm die Minister vom Verschwinden des Königs und Dr. von Guddens.

Ludwig ist verärgert, es scheint so, als könnte dieser Genius nur zu ihm sprechen, wenn sich keine Menschen im Raum befinden und dieser Dr. Müller hat sie nun an der Fortsetzung ihres Gesprächs gehindert. Oder bildet er sich das alles nur ein? Seit wann können denn Steinfiguren sprechen und zwinkern? Das alles ist wirklich zu absurd!

Baron von Washington kommt atemlos in die Halle gelaufen, neben ihm schwebt Dr. von Gudden. Washington ruft:

»Dr. Müller, Dr. Müller, es ist ein Unglück geschehen! Die Hoffozianten Ritter und Rottenhöfer sind zurück, sie haben am Ufer den Regenschirm und halb im Wasser, den Überrock zusammen mit dem Leibrock von Majestät gefunden! Wir müssen nun doch mit Fischern den See absuchen!«

»Ach, Baron! Was für eine Nachricht! Mir schwant Tragisches! Soeben habe ich Seiner Königlichen Hoheit dem Prinzregenten und den Ministern vom Verschwinden Seiner Majestät und Dr. von Guddens, depeschiert. Ich trage große Sorge in mir, dass wir ihnen schon bald Schlimmeres melden müssen! Sofort soll der Schlossverwalter Huber geschickt werden, um einen Fischer zu wecken, der unten am Steg mit einem Boot vorfahren soll. Wir beide sollten uns aufteilen, einer hält die Stellung am Schloss, der andere beteiligt sich an der Suche im Boot. Wie wünschen Sie zu verfahren?«

Der Baron, dem beim Bootfahren immer schlecht wird und der zudem kein guter Schwimmer ist, antwortet:

»Dr. Müller, keinen größeren Dienst könnte man in dieser qualvollen Stunde der Geschichte erweisen, als sich auf die Suche nach Majestät zu begeben. Aber sollte beim Auffinden Allerhöchstderselben medizinische Hilfe von Nöten sein, so wäre meine Wenigkeit nutzlos zugegen. Sie als Arzt, Ihnen könnte es vergönnt sein, eine

Heldentat zu vollbringen. Dr. Müller, ich lasse Ihnen den Vortritt!«

Dr. Müller ist sichtlich gerührt von Washingtons Worten, er antwortet:

»Herr Baron, ich weiß Ihre Bescheidenheit zu schätzen. Sollte das Schicksal Großes mit mir vorhaben, so wird es auch Ihr Verdienst sein!«

Die beiden treten eilig hinaus zu den versammelten Suchtrupps. Dr. Gudden, der Ludwig an der Treppe entdeckt hat ruft ihm zu:

»Majestät, wie können Majestät sich unerlaubt von mir entfernen! In großer Sorge war ich ob des Verschwindens von Majestät! Wann immer Majestät Seinen Standort verändern wollen, ist Majestät angehalten, mir dieses umgehend kund zu tun. Wenn Majestät sich dieser Anordnung nicht fügt, wird sich die verordnete Pflege nur über die Maßen hinziehen. Nun schlage ich vor, dass Allerhöchstdieselben sich mit mir zum Steg begeben und dem Boot folgen.«

Ludwig ärgert sich über die anmaßende Rede von Guddens. Er ist zwar neugierig, was unten am See geschehen wird, aber er hat keine Lust auf die Gesellschaft von Guddens. Lieber möchte er sein Gespräch mit dem Genius fortführen. Mittlerweile wurde aber draußen der Regen stärker und einige Schlossbedienstete suchen nun in der Halle Schutz vor der Nässe. Damit ist Ludwigs Hoffnung, mit dem Genius jetzt noch mal alleine sein zu können, gestorben. So antwortet er:

»Dr. von Gudden, wie Sie bereits wissen, lege ich keinen Wert auf Ihre Anwesenheit, im Gegenteil! Allerdings muss ich einräumen, dass ich nicht uninteressiert bin am Ausgang dieses Spektakels hier. Ich werde mich mit Ihnen jetzt hinunter zum Steg begeben. Jedoch muss an dieser Stelle Klarheit geschaffen werden: Es ist sinnlos, Ihrerseits weiterhin auf einer Vormundschaft mir gegenüber zu bestehen! Sie haben keinerlei Macht, mir eine ›verordnete Pflege‹ angedeihen zu lassen. Ich bin frei mich dahin zu bewegen, wohin auch immer es mir beliebt. Und seien Sie sich dessen gewahr: Sie sind der Untertan! Ich bin der König!«

Kaum ward dies gesprochen, denkt sich Ludwig auch schon vor das Schloss. Er will durch sein erneutes Verschwinden Gudden demonstrieren, dass dieser ihm nichts anhaben kann. Doch – er findet sich in der Schlosshalle auf dem Fußboden, vor der verschlossenen Tür wieder. Er fühlt sich wie ein Eimer Wasser, den man gegen eine Wand geschüttet hat. Was war denn das? Jemand hatte die Flügeltüren geschlossen, und es war ihm nicht möglich gewesen hindurch zu schweben!

Panik macht sich beim König breit. Hat Gudden doch mehr Macht über ihn, als er geglaubt hatte? Ein Blick hinüber zu Gudden beruhigt ihn jedoch. Offensichtlich hat bei diesem sein unangekündigtes Verschwinden die Wirkung nicht verfehlt. Denn der Irrenarzt scheint Ludwigs Misere mit der Tür nicht bemerkt zu haben, er glotzt noch immer ganz verdutzt an die Stelle neben dem Genius, an der sich Ludwig eben noch befand.

Bis vor wenigen Minuten glaubte Ludwig, er könne als Geist einfach durch Mauern schweben, und eine verschlossene Tür sei für ihn kein Hindernis. Doch nach diesem harten Aufprall an der Türe war er sich nicht mehr sicher, dass dem so ist!

Jetzt hat ihn Gudden an der Tür entdeckt, und schon ist dieser neben Ludwig:

»Majestät, ähm, wie soll ich es sagen? Es scheint tatsächlich so, wie Eure Majestät verlautet haben. Die Verhältnisse haben sich geändert. Ich muss mich den neuen Bedingungen ergeben. Ich bin einsichtig. Wollen Majestät nun die Gnade haben, mich hinunter an den See zu geleiten?«

Ludwig ist bass erstaunt:

»Wollen Sie mich einseifen?«

(Diesen Ausspruch benutzt der König gerne, wenn er glaubt, jemand wolle ihn veräppeln.)

»Aber Majestät! Nichts läge mir...«

Ludwig unterbricht ihn, denn gerade öffnet ein Diener die Türe.

»Kommen Sie, kommen Sie, flink, hinaus mit uns!«

Schnell haben sich die zwei hinaus und hinüber zum Anfang des Laubengangs gedacht, welcher nach unten zum Kavaliershaus und zum Steg führt.

Vor dem Schloss ist noch immer eine Menschenansammlung. Der Stabskontrolleur Zanders lässt Regenschirme verteilen und leere Öllampen nachfüllen. Die aufs Neue ausgestatteten Suchtrupps sollten diesmal allesamt zum südlichen Ufergürtel ausschwärmen.

Der Schlossverwalter Huber und Dr. Müller laufen mit ihren Laternen im Eilschritt zum See hinunter. Vom Schloss bis zum Steg sind es vier– bis fünfhundert Schritt, eine Distanz, bei der man leicht aus der Puste kommen kann. Nicht aber Ludwig und Gudden. Zu ihren Lebzeiten hätte es ihnen wohl Schwierigkeiten bereitet, mit Huber und Müller Schritt zu halten, aber in ihrem jetzigen Zustand ist es ein Kinderspiel. Gudden ist fasziniert; in wenigen Sekunden kann er sich auf eine beträchtliche Distanz hin und her denken, es geht blitzschnell. Er findet sogar richtig Spaß daran, sich unentwegt runter zum Steg und wieder zurück zu den dahin Eilenden zu denken. Er meint Ludwig damit eine Freude zu bereiten jedes Mal aufs Neue zu melden, was sich grade unten am Steg abspielt:

»Majestät, melde gehorsamst, Fischerkahn in Sicht!«

»Majestät, melde gehorsamst, es handelt sich um den Fischer Lidl!«

»Majestät, melde gehorsamst, Fischer Lidl braucht noch drei Ruderschläge bis zum Steg!«

»Majestät, melde gehorsamst, Fischer Lidl hat den Steg erreicht!«

»Majestät, melde gehorsamst, Fischer Lidl macht jetzt am Steg fest!«

»Majestät, melde gehorsamst, ...«

Gudden wird von Ludwig unterbrochen:

»Dr. von Gudden, hören Sie auf damit! Schweigen Sie! Ihre verbalen Auswürfe sind geradezu peinigend!«

Beleidigt ob dieser harten Worte verschwindet Gudden, er denkt sich zum Boot und verharrt dort über dem Bug schwebend. Mittlerweile haben auch der Schlossverwalter und der Irrenarzt den Steg erreicht, auf dem sie von Lidl erwartet werden. Huber begrüßt den Fischer:

»Servus Leo, guad das'd scho do bist. Dr. Müller, derf i eana bekannt macha, des is da Fischer Leonhard Lidl.« (Hallo Leo, gut, dass du schon da bist. Dr. Müller, darf ich Sie bekannt machen mit dem Fischer Leonhard Lidl.)

»Guten Abend Herr Lidl. Die Situation erfordert ein schnelles Handeln. Wir müssen gegen Leoni zu das Seeufer absuchen, im südlichen Park wurde am Wasser der Überrock und der Leibrock von Majestät gefunden. Hier Herr Lidl – machen Sie bitte die Laternen am Boot fest!«

Huber und Müller reichen dem Fischer ihre Laternen.

»Ja, freili mach ma de fest.« (Ja, gerne mache ich die fest.)

antwortet Lidl und befestigt die Lampen flink am Boot, dann fügt er nachdenklich, in seinen Bart murmelnd, hinzu:

»Aba oans vasteh i ned, dass da Kini bei dem Sauweda sein Mantel ausziagt?« (Aber eines versteh ich nicht, dass der König bei diesem Sauwetter seinen Mantel auszieht?)

Huber und Müller steigen geschwind in den Kahn und Lidl macht die Leine los. Gudden schwebt immer noch vorne über dem Bug. Mit kräftigen Ruderschlägen steuert der Fischer das Boot Richtung Süden. Der König entschließt sich hinten über dem Heck zu verweilen.

Der Fischer sprach etwas an, was nun Ludwigs Gedanken beschäftigt. Warum hatte er den Überrock und gar noch den Leibrock ausgezogen? Angestrengt versucht er sich zu erinnern. Was war vorgefallen? Ein Bild macht sich vor seinem geistigen Auge breit; Gudden hält ihn fest? – Ja, Gudden hat ihn festgehalten! Und als er sich losreißen wollte behielt dieser Leib- und Überrock in Händen; und er, er lief in Hemdsärmeln ins Wasser! Aber zum Teufel, was wollte er im Wasser? Er wollte doch zur Kutsche?

Da war dieser göttliche Gesang; ein Weib; so schön und edel, wie er noch keines auf dieser Welt gesehen hatte.

Plötzlich wird er aus seinen Gedanken gerissen. Huber hat einen Mark erschütternden Schrei losgelassen. Hektik ist auf dem Boot ausgebrochen. Der Schlossverwalter entledigt sich seines Mantels und springt in den See. Müller ruft hinüber zum Park, die Suchtrupps mögen ans Ufer kommen. Huber steht bis zur Brust im Wasser, er zieht einen schwimmenden Körper zum Boot. Es ist eine Leiche in Hemdsärmeln – es ist der König. Müller beugt sich aus dem Boot und hält nun die schwimmende Hülle des Königs fest. Der Schlossverwalter weist den Fischer an noch zwei Ruderschläge zu machen, ein paar Schritt weiter sei noch ein Körper! Jetzt ziehen sie auch Guddens Leib neben dem Boot her. Der Fischer rudert mit Leibeskräften zum Ufer.

Am Ufer stehen schon einige Schlossbedienstete und Irrenpfleger bereit. Unter Müllers Anleitung helfen sie die beiden Körper ins Boot zu heben. Einer der Pfleger wehklagt unablässig:

»Was für ein Unglück, was für ein Unglück! Die Totenstarre ist schon eingetreten, was für ein Unglück.»

Kaum sind die Leichen ins Boot gebracht rudert Lidl
zurück zum Schloss. Er rudert, als würde es um sein
eigenes Leben gehen. Dr. Müller nimmt im Boot eine
erste Untersuchung der Körper vor, er spricht mehr zu
sich selbst als zu Huber hinüber:

»Beide haben keinen Puls und keine Atmung mehr! –
Eine Pupillenreaktion ist nicht vorhanden. –

Der Pfleger scheint nicht zu irren, die Totenstarre ist
bereits eingetreten.–

Die Uhr von Majestät hängt noch an der Kette und steckt
in der Weste, eingedrungenes Wasser ließ sie um 6 Uhr
54 stehen bleiben. –

Dr. Guddens Uhr steht auf acht, aber soweit ich weiß, hat
er heute Morgen seine Uhr nicht aufgezogen.«

Gudden hat sich soeben ans Heck des Bootes neben
Ludwig gedacht und kommentiert Müllers Worte:

»Ja, das ist richtig, hervorragend aufgemerkt! Vergaß
heute Morgen in der Tat meine Uhr aufzuziehen. Dieser
Dr. Müller ist ein ausgezeichneter Arzt. Sein Geist, immer
in Präsenz; er wird mir ein würdiger Nachfolger werden!«

Ludwig, der ob der Ansicht seiner eigenen Leiche etwas
trübsinnig geworden ist, flieht vor Gudden und denkt sich
nach vorne zum Bug. Ihm ist immer noch unverständlich,
wie es zu Guddens und seinem Tod kam. Er versucht sich
zu erinnern; dazu könnten Dr. Müllers weitere Untersu-
chungsergebnisse hilfreich sein. Er lauscht wieder den
Worten des Arztes:

»An Dr. von Guddens Fingern ist ein Nagel abgebrochen;
sein Hals weist Würgemale auf; mehrere Prellungen und
Schürfwunden. –

Bei Majestät ist, soweit ich das unter diesen Bedingungen
beurteilen kann, keine Gewalteinwirkung...«

Gudden ist schon wieder neben Ludwig und jammert los:

»Majestät, warum hat Majestät mir das angetan? Gestoßen, gewürgt und unter das Wasser gedrückt haben mich Majestät, bis mir das Lebenslicht erloschen war! Wie eine Katze haben Majestät mich ertränkt! Solch eine Behandlung habe ich nicht verdient! Ihr habt mein Weib zur Witwe gemacht! Was soll nun aus ihr werden...«

Ludwig kann sich dunkel erinnern. Nachdem er sich aus Guddens Griff befreit hatte, wobei ihm dieser seine Röcke vom Leib riss, lief er weiter in den See hinein, um dieses wunderbare Geschöpf zu retten. Doch Gudden holte ihn ein, es kam erneut zu einem Kampf, dabei muss er diesen Irrenarzt unter Wasser gedrückt haben. Aber er hat ihn doch nicht umgebracht? Entsetzlich ist ihm der Gedanke.

Er wischt diese schrecklichen Befürchtungen beiseite und bemerkt, dass das Boot mittlerweile wieder den Steg am Kavaliersbau erreicht hat. Einige Bedienstete stehen schon bereit. Wie ein Lauffeuer hat sich die Kunde von den aufgefundenen Körpern unter den Suchtrupps verbreitet. Schnell sind ein paar helfende Hände gefunden, um die Leichen an Land zu tragen. Dr. Müller gibt Anweisung die Kleider zu öffnen, er leitet die künstliche Atmung ein und lässt in den Zwischenpausen die Brust frottieren.

Baron von Washington kommt völlig außer Atem vom Schloss heruntergelaufen. Als er die beiden Leichen sieht wird er ganz blass:

»Es ist Majestät! Um Gottes Willen! Was ist geschehen?«

Er wendet sich an Dr. Müller:

»Sagen Sie mir, dass mich meine Augen trügen! Die künstliche Einatmung wird Majestät und Dr. von Gudden doch wieder zurück ins Leben holen?«

Dr. Müller zieht den Baron zur Seite und flüstert ihm zu:

»Baron ich befürchte, ich muss Sie enttäuschen. Ich habe die künstliche Einatmung nur eingeleitet, um das Volk zu beruhigen; die Totenstarre ist bereits eingetreten, nichts und niemand wird die beiden zurückholen. Aber wir wollen keinen Versuch unterlassen – sei er noch so überflüssig.«

Es ist ein gar jammervoller Anblick. Der Regen, die Dunkelheit, die Unruhe des Sees, die bleichen Gesichter der Menschen, die stumm im flackernden Licht der Laternen auf die beiden leblosen Körper starren.

Nur Gudden redet auf den König ein, aber das kann niemand hören:

»Majestät, so sehen Majestät nur was Allerhöchstdieselben angerichtet haben!«

»Was soll ich angerichtet haben? Ich bin doch kein Mörder! Mein Leben lang habe ich die Gewalt verabscheut! Selbst das Jagen war mir verhasst! Zu dem dreiwöchigen Krieg gegen die Preußen haben mich meine Minister gezwungen! Meine Krone wollte ich niederlegen und Abdanken, so arg war mir die Vorstellung, Menschen in den Tod zu schicken! Und später zwangen mich dann die Preußen, dem Krieg gegen Frankreich beizutreten, nächtelang habe ich um mein treues Volk gebangt!«

»Wie konnte es dann geschehen, dass sich Majestät an mir versündigt hat?«

»Ich weiß nicht mehr wie es geschah, meine Erinnerung ist verblasst. Nur eines ist gewiss, ich wollte das Weib aus dem Wasser retten. Sie hielten mich am Rock und ich habe mich befreit, um ihr zu Hilfe zu eilen.«

»Majestät wollten fliehen, und da ich dem Fluchtplan von Majestät im Wege stand, haben mich Majestät ertränkt!«

»Ich schwöre bei Gott und allen Heiligen, es war nicht ein Fluchtgedanke, es war ein Weib, das mich ins Wasser lockte!«

»Majestät, mit Verlaub! Jetzt sind es Majestät, die mich ›einseifen‹ wollen! Ein Weib soll es gewesen sein, das Majestät ins Wasser lockte? Wo Majestät in Seinem ganzen Leben kein Interesse am weiblichen Geschlecht zeigten.«

»Dr. von Gudden in diesem Fall irren Sie. Ich habe mich zwar in der Tat nicht auf gewöhnliche Weise für das weibliche Geschlecht interessiert – aber es waren unzählige Sängerinnen und Schauspielerinnen bei mir zum Empfang und ihre Gesellschaft war mir stets sehr angenehm.«

»Aber warum haben Majestät sich nie verehelicht?«
Darauf Ludwig:

»Einst fragte ein Schüler Sokrates um Rat: ›Soll ich heiraten, Meister, oder soll ich es nicht?‹ ›Mach was du willst, bereuen wirst du es so oder so.‹«

»Majestät, wer immer dieser Sokrates sein soll, ich sage Eurer Majestät, dieser Sokrates irrt! Die schönsten Stunden habe ich an der Brust meines Weibes verbracht! Eine Wonne ist es mit einem Weib durchs Leben zu gehen!«

»Seit ich dieses göttliche Geschöpf im Wasser gesehen, weiß ich um die Wonne des Weibes. Bei ihrem Anblick durchflutete ein Gefühl des Glücks meinen Körper, ihr Antlitz war so unwiderstehlich schön und ihr Gesang so himmlisch und rein. Ich musste ihr in den See folgen!«

Aus dem Städtchen Starnberg herüber erklingen die Glockenschläge der Turmuhr – gleich ist es 24 Uhr. Vor dem letzten Glockenschlag zu Mitternacht wendet sich Dr. Müller an den Baron und erhebt seine Stimme so, dass alle Umstehenden es hören können:

»Herr Oberstleutnant, ich konstatiere den Tod Seiner Majestät und des Oberarztes von Gudden. Alle Wiederbelebungsversuche sind vergebens.«

Der Anfang vom Anfang

Der 14. Juni 1886 ist grade ein paar Minuten alt

Obwohl ihn Gudden mehrfach dazu aufgefordert hat, zurück zum Schloss zu kehren und das weitere Geschehen dort zu verfolgen, will Ludwig nicht mehr nach oben. Den Schreck mit der verschlossen Türe, durch die er nicht mehr nach draußen kam, hatte er noch nicht vergessen. Seine Neugierde ist nicht groß genug, er will nicht nochmal riskieren eingesperrt zu werden. Auch sein Wunsch, die Unterhaltung mit dem Genius fortzuführen, würde sich in den nächsten Stunden sicherlich nicht erfüllen. Wie aufgescheuchte Hühner werden die Schlossbediensteten jetzt durch die Eingangshalle hin und her eilen und die Treppe hinauf und hinunter laufen.

Der Regen hat mittlerweile etwas nachgelassen. Nachdem die Leichen auf Tragbahren ins Schloss gebracht wurden, ist es unten am See ruhig geworden; und dunkel. Nur oben, um das Schloss herum, sieht man noch einzelne Laternen, und seltsamerweise in der Ferne – im südlichen Schlosspark tanzen ein paar Lichtpunkte in der dunklen Nacht.

Gudden weicht Ludwig nicht von der Seite, und obwohl der König die Einsamkeit liebt, so ist er jetzt doch ganz froh um seine Gesellschaft. Seit Dr. Müller ihren Tod konstatierte, hatten die beiden kein Wort mehr miteinander gewechselt. Jeder war mit seinen Gedanken beschäftigt.

Ludwig hielt es, nachdem was er in der letzten Stunde gesehen und gehört hatte, für möglich, dass Gudden tatsächlich durch seine Schuld zu Tode kam. Wie sehr er diesen Irrendoktor auch verachtet, es war nie seine Absicht gewesen so etwas Grausames zu tun. Lange grübelt er darüber nach, wie er diese Tat wohl wieder gut machen könne. Ihm fällt aber nichts ein. Er weiß nicht einmal, wie das mit seiner neuen Existenz nun weitergehen soll. Ist er nun eine wandernde Seele oder ein Geist? Oder fühlt man sich als wandernde Seele wie ein Geist? Er jedenfalls fühlt sich so, wie er sich vorstellt, dass sich ein Geist fühlen muss. Aber wie sieht das Leben eines Geistes aus? Er überlegt was Geister wohl essen und ob sie auch schlafen müssen? Momentan verspürt er jedoch weder Hunger noch Müdigkeit.

Gudden scheint ähnliche Gedanken zu haben, denn der unterbricht jetzt die Stille:

»Majestät, was soll denn nun mit Majestät und mir geschehen?«

»Dr. von Gudden, ich habe mit Ihrem Tod große Schuld auf mich geladen, was mit mir geschehen wird, liegt in Gottes Hand. Sie Gudden, Sie sollten jetzt zurückkehren nach München, zu ihrer Frau.«

»Oh Majestät, was sollte ich bei meiner Frau? Sie kann mich nicht sehen, noch hören. Zu Tode quälen würde es mich, sie in Tränen zu sehen, ohne ihr Trost geben zu können!«

Und nach einer kurzen Pause fügt Gudden hinzu:

»Majestät sprechen von Schuld, auch ich habe Schuld auf mich geladen! Zum Werkzeug der Minister ließ ich mich machen, einen wachen Geist wie den Ihren für irr zu erklären! Papierberge über Papierberge mit unsinnigen Notizen hat man mir als Beweis geliefert, dazu ein freundliches Honorar. Kaufen ließ ich mich um einen hellen Kopf bei lebendigem Leibe zu begraben.«

Dann kehrt wieder Stille ein.

Nach einer Weile des stummen Verharrens richtet Ludwig sein Wort an Gudden:

»Dr. von Gudden, dass am Schloss oben Leute mit Lampen umherlaufen ist nicht verwunderlich, was aber haben die Lichter am südlichen Ende des Schlossparks zu bedeuten?«

»Majestät, auch mir entging dies Flackern nicht, obgleich ich darob auch keine Erklärung finden kann. Wollen Majestät sich mit meiner Wenigkeit annähern und das Rätsel ergründen?«

Die beiden beschließen herauszufinden, was es mit den Lichtern auf sich hat. Sie vereinbaren, sich zu der Bank zu denken, auf der sie noch vor wenigen Stunden in ihrem irdischen Leben saßen. Von der Bank aus würden sie gut sehen können, was dort vor sich geht. Aber am Treffpunkt angekommen stellen sie fest, dass die Lichter noch viel weiter südlich sind.

Ludwig ist ganz schwindelig von der Fortbewegung über die weite Distanz. So nimmt er Guddens Vorschlag, sich jetzt immer nur ein paar Schritte bis zum nächsten Busch oder Baum zu denken, gerne an.

Nachdem sie eine beträchtliche Strecke zurückgelegt haben, kommt es ihnen so vor, als hätten sie sich den Lichtern immer noch nicht genähert. Das Geflacker scheint nun vom entfernten Waldrand zu kommen. Sie beschließen, die weite Strecke bis zum Wald auf einmal zurück zu legen. Am Waldesrand, auf dem Weg der in den Wald hineinführt, wollen sie sich wieder treffen.

Jetzt wird es ihnen langsam unheimlich! Die Lichter, die grade noch vor dem Waldrand herum flackerten, scheinen nun im Wald zwischen den Bäumen herum zu tanzen.

Der Anfang

Der 14. Juni 1886 ist noch keine Stunde alt.

Gerade beratschlagen Ludwig und Gudden, ob sie den Lichtern nun weiter in den Wald folgen sollen, als diese plötzlich erlöschen. Aus der Dunkelheit taucht unmittelbar vor ihnen eine Gestalt auf. Erschrocken denken sie, es mit einem zwergwüchsigen Wegelagerer oder Bettler zu tun zu haben. Der Kerl steht mit beiden Beinen fest auf dem Boden, an ihm ist nichts Durchsichtiges oder Geisterhaftes, er vermittelt den Eindruck aus Fleisch und Blut zu sein. Diese Gestalt mustert sie von oben bis unten. Aber ein menschliches Wesen kann sie doch in ihrem jetzigen Zustand nicht sehen?

Der lange Bart und das wirre Haar hängen dem Kleinen bis über die Knie. Soweit man unter all den Haaren erkennen kann hat das Männlein keine Kleider an, um die Scham ist nur ein Fetzen Stoff gebunden. Der Kleine spricht sie jetzt an:

»Endlich seid`s ia do, Zeit is worn! Mir warten scho seid mehrere Stund auf eich! Habt`s denn a des Leichtn net gseng?« (Endlich seid ihr da, ist auch Zeit geworden! Wir warten schon seit Stunden auf euch! Habt ihr denn das Leuchten nicht gesehen?)

Verdutzt schauen sich Ludwig und Gudden an. Was getraut sich dieses Männlein, welch respektlose Anrede! Ludwig will gerade lospoltern, doch Gudden kommt ihm zuvor:

»Aber mein Herr! Wer auch immer Sie sein mögen, Sie scheinen nicht zu wissen, wer vor Ihnen ist! Sie sprechen mit meiner Wenigkeit – und mit dem König! Wenn sie Ihr Wort an Majestät richten, müssen Sie jene Form des Benehmens wählen, welche in Gegenwart des Königs von allen Untertanen beachtet werden muss!«

Aber anstelle der erwarteten Entschuldigung und Unterwürfigkeit spricht das Männlein forsch:

»Ja freili, des woaß i scho wert`s ihr gwen seid`s. Sonst dad i ja net auf eich wartn. Am Wiggerl sei Genius hods uns scho letzde Woch gsagt, dass da Kini boid kemma werd.« (Ja freilich weiß ich wer ihr gewesen seid. Sonst würde ich ja nicht auf euch warten. Dem Ludwig sein Genius sagte uns bereits letzte Woche, dass der König bald kommen wird.)

Dann wendet er sich direkt an den sprachlosen Gudden:

»Bloß dass a di a mit bringt Loysl, des ham ma alle ned denkt.« (Nur, dass er dich Aloys auch mitbringt, das wussten wir nicht.)

Ludwig und Gudden sind entsetzt ob dieser erneuten respektlosen Anrede. ›Wiggerl‹ und ›Loysl‹ ist die Verballhornung der Namen Ludwig und Aloys, nur das einfache Volk, die Bauern sprechen sich untereinander so an. Dergleichen ist Ludwig in seinem ganzen irdischen Leben noch nie untergekommen. Dieser unverschämte Zwerg muss bestraft werden! Diesmal ist es Ludwig, der Gudden mit einer Erwiderung zuvor kommt:

»Trotz Ermahnung des Dr. von Gudden machten Sie sich nun zum zweiten Male der Majestätsbeleidigung schuldig...«

Der kleine Mann unterbricht den König genervt:

»Jetzad höart`s auf mit dem bläädn Standesdünkel, des is jetzad vorbei, jetzad seid`s a ganz normale Manen, wia de andern a. Hoarchts a moi guad auf:« (Jetzt hört auf mit dem blöden Standesdünkel, das ist jetzt vorbei, ihr seid jetzt ganz normale Manen, wie die anderen auch. Hört mal gut zu:)

Ludwig schwirrt der Kopf, er und Dr. Gudden sollen Manen sein? Soweit er sich erinnern kann, sind das die Totengeister der Verstorbenen.

Der Zwerg erklärt indessen den beiden Fassungslosen, dass im Wald bereits ein kleines Begrüßungskomitee von Über- und Unterirdischen auf sie wartet.

Ludwig ist ganz bang – bei diesem Begrüßungskomitee wird es sich wohl um so eine Art »Jüngstes Gericht« handeln – jetzt ist also der Zeitpunkt gekommen, wo er für seine Sünden zur Rechenschaft gezogen wird.

Im Wald seien allerdings ein paar Regeln zu befolgen, so der Kleinwüchsige weiter. Es ist sein Revier, das sie jetzt betreten werden, und er ist dafür zuständig, dass niemandem im Wald und vor allem dem Wald selbst kein Schaden zugefügt wird. Wehe dem, der Unfrieden stiftet, sich mit den Baum- oder Waldnymphen anlegt, oder gar dem Wald ein Blatt krümmt. Der müsse mit der höchstpersönlichen Vergeltung von Irenäus dem Waldschrat rechnen. Wenn er sein morgendliches Bad in den Tautropfen nimmt, müssen sich alle Besucher seines Reviers diskret zurückziehen und er wünscht während des Rituals keinesfalls gestört zu werden. Sollten ›Wiggerl‹ oder ›Loysl‹ unerwarteter Weise in Bedrängnis geraten, dürften sie sich allzeit vertrauensvoll an ihn wenden. Irenäus der Waldschrat steht ihnen, nach seinem Morgenbad, jederzeit hilfreich zur Seite.

Ludwig und Gudden sind ganz wirr. Beide waren bislang davon überzeugt, solche Kreaturen seien Erfindungen der Sagen und Märchen. Und hier steht tatsächlich ein echter Waldschrat vor ihnen. Und wie gruselig; als dieser vor ihnen auftauchte, sind all die Lichter, denen sie gefolgt waren, plötzlich erloschen. Und welche Respektlosigkeit; dieser Waldschrat hat sie schon wieder so ungebührlich mit ›Wiggerl‹ und ›Loysl‹ angesprochen. Und welches Schicksal soll sie ereilen; Unter- und Überirdische würden im Wald auf sie warten?

Dem König und dem Irrenarzt ist ganz unheimlich zu Mute, sie haben Angst und sie sind sich einig: Diesen

Wald betreten sie nicht! Sie wollen zurück zum Schloss und denken sich schnell zur nächsten Sträuchergruppe die etwa 50 Schritt vom Waldrand entfernt ist.

Gudden schaut zurück zum Waldrand und sieht plötzlich die Lichter wieder aufflackern. Er zeigt hinüber und raunt Ludwig zu:

»Majestät, erleichtert bin ich, dass wir uns von diesem unheimlichen Ort entfernten. Es geht doch mit dem Teufel zu, dass jetzt die Lichter wieder zu sehen sind!«

»Dr. von Gudden, so hören Sie doch! Nicht nur die Lichter sind wieder erwacht, auch dieser liebliche Gesang!«

Gudden kann jetzt die zarte Sopranstimme ebenfalls hören.

»Dr. von Gudden, dieser himmlische Gesang, er kommt jetzt aus dem Wald. Es ist die Stimme, die mich des Abends am See verzauberte und ins Wasser lockte. Ich muss des himmlischen Geschöpfes noch einmal ansichtig werden!«

»Aber Majestät, Majestät werden doch denselben Fehler nicht zweimal begehen! Schon einmal brachte dieses Weib großes Unheil über uns! So nehmen Majestät doch Vernunft an, lassen Majestät uns zurückkehren zum Schloss.«

Alle Einwände Guddens sind umsonst. Die Zwei geben sich noch einen heftigen Wortwechsel, aber schließlich setzt sich Ludwig durch und sie kehren zurück zum Waldrand. Der Psychiater hat Angst. Welche Gefahr wird auf sie warten?

Die Lichter tanzen geheimnisvoll im Unterholz. Vom Schrat ist weit und breit keine Spur mehr. Der Gesang durchdringt den ganzen Wald, die klare und liebliche Stimme hat auch Gudden mittlerweile verzaubert. Magisch angezogen von der überirdisch schaurig schönen

Melodie wagen sich die beiden immer weiter in den Wald hinein.

Plötzlich ruft direkt über ihnen aus einer Baumkrone eine hohe Frauenstimme:

»Irenäus, sag den Irrwischen, sie mögen jetzt ihre Lichter wieder ausmachen. Und schick geschwind einen Wichtel runter ans Wasser zu Tinuley, sie kann für heute mit dem strapaziösem Gesinge aufhören, die beiden sind wieder da!«

Erschrocken über die unsichtbare Stimme, und verängstigt ob deren Worte, suchen Ludwig und Gudden mit ihren Augen die Baumkronen ab.

Irrwischen sollen sie gefolgt sein; das sind doch diese unseligen Kreaturen, die mit ihren Irrlichtern brave Wandersleute in den Sumpf locken, um ihnen den Tod zu bringen.

Jetzt sitzen sie in der Falle! Und hatte nicht dieses Weib, wie war noch mal ihr Name? Ja, Tinuley, hatte die nicht schon ihr irdisches Leben auf dem Gewissen?

Ludwig und Gudden schauen immer noch gebannt nach oben, als unvermittelt direkt vor ihnen eine von innen heraus schimmernde Frauengestalt auftaucht und sich bei ihnen erkundigt, ob sie Delaren suchen.

»Wenn der werte Name der Dame, die soeben einem Irenäus Weisungen gab, Delaren ist, so liegen Sie richtig.«

»Ihr braucht euch nicht weiter bemühen.« Haucht ihnen eine weitere nebulöse Frauengestalt zu, die aus dem Nichts zu ihrer Rechten erschien.

»Delaren ist weder eine Dame noch eine Person. Delaren ist eine Elfe und trägt grade ihre Tarnkappe, deshalb könnt ihr sie nicht sehen.«

König Ludwig und Dr. von Gudden sind erneut empört und tuscheln miteinander. Überhaupt kein Benehmen haben diese Überirdischen! Selbst diese beiden Frauengestalten von so edler Erscheinung sprechen vulgär und respektlos.

Die zwei Feen konnten nicht hören was Gudden und Ludwig miteinander tuschelten, aber sie entschuldigen sich im Chor:

»Oh, bitte verzeiht unsere Unhöflichkeit, dass wir uns noch nicht vorgestellt haben.«

»Ich bin Marissa.«

»– und ich Melissa, leider hat sich Monissa, die dritte in unserem Bunde einer Siebenzahl angeschlossen, Delaren springt jetzt ab und zu für sie ein und singt zu unseren Reigen...«

Sie wird von Marissa unterbrochen:

»Aber jetzt Wiggerl und Loysl müsst ihr endlich mitkommen auf die Lichtung, die anderen Überirdischen warten dort schon seit Stunden auf euch. Endlich sollt ihr die Einweisung für eure neue Existenz bekommen.«

Am liebsten würden Ludwig und Gudden diesem gespenstischen Treiben entfliehen. Allerdings sind sie bereits so tief im Wald, dass sie in der Dunkelheit den Weg nicht mehr hinausfinden würden. Sie haben kaum eine andere Wahl als diesen beiden Gestalten zu folgen. Und – vielleicht könnte es sogar von Nutzen sein, mehr über ihre jetzige Existenz zu erfahren?

Der Gesang von Tinuley ist abrupt verstummt. Im ganzen Wald scheint es nun zu rascheln und zu knistern. Nahezu hinter jedem Baum und vor allem in den Baumkronen ist ein ständiges Tuscheln und Treiben zu vernehmen. Die merkwürdigsten Wesen tummeln sich im Unterholz des Waldes.

In meiner Irrenanstalt werden Leute für weniger Verrücktes behandelt, denkt Gudden. Noch nie hat er an seinem eigenen Verstand gezweifelt, aber jetzt ist er davon überzeugt, dass er völlig übergeschnappt ist. Was sich eben auf der Lichtung vor seinen Augen abspielte hätte er sich in seinen kühnsten Träumen nicht ausmalen können.

Auch Ludwig ist noch ganz benommen von der Versammlung. In der ersten Dämmerung taumelt er zum See hinunter. Von dort lockt schon wieder dieser himmlische Gesang.

Da, am Ufer steht sie! Barfüßig, dieses verführerisch hübsche Weib mit der blassen Haut. Bläulich schimmert jetzt ihr Körper im ersten Licht des Tages und bläulich glänzt ihr nasses Haar. Aus ihrem Rocksaum trieft Wasser. Wie ein heulender Wolf steht sie da, ihr zartes Gesicht gen Himmel gerichtet.

Nach wie vor berauscht von den sphärischen Klängen, die aus ihrer Kehle aufsteigen, nimmt Ludwig all seinen Mut zusammen und unterbricht ihren Gesang. Er will sie hier und jetzt zur Rede stellen:

»Oh Weib, das mit seiner Stimme jedes Engelsfrohlocken zum Gespött werden lässt, welches Teufelswerk hast du angerichtet?«

Überrascht dreht sich die Schöne zu ihm um:

»Ach du bist es Wiggerl. Sprichst du zu mir? Tinuley und Teufelswerk? Tinuley würde sogar ihre hübschen Beine gegen einen Fischschwanz eintauschen, wenn sie nur einmal wieder im Meer baden könnte. Ach, wie herrlich ist der Duft des Salzwassers, das Schaukeln der Wellen; und wie sehr beneidet Tinuley die Meerjungfrauen, denen das Vergnügen im Meerwasser zu baden jeden Tag vergönnt ist. Leider ist Tinuley nur eine Nixe, verbannt in den Starnberger See.

Eine alte Familiengeschichte ist Schuld. Tinuley und ihre Schwester Loreley wurden vor über fünfhundert Jahren dazu verurteilt, bis zur nächsten Jahrtausendwende ihre Zeit im Süßwasser zu fristen. Bis zu ihrer Erlösung muss

Tinuley noch über hundert Jahre im Starnberger See verbringen!

Wiggerl, ist es nicht ein Elend, Loreley im Rhein, und Tinuley hier, in diesem schnöden See? Wenn Tinuley wenigstens mit ihrer Schwester zusammen sein könnte. Auf dem Rhein ist reger Schiffsverkehr, da wird es nie langweilig und Loreley ist mittlerweile zu einer Berühmtheit geworden. Aber hier in diesem langweiligen See dümpeln grade mal ein paar unmusikalische Fischer, die Tinuleys Gesang ignorieren.

Ja Wiggerl, als verbannte Nixe hat man es nicht leicht, Tinuley muss Opfer bringen! Und Wiggerl wollte doch ohnehin nicht mehr unter den Irdischen verweilen – oder hat Tinuley sich geirrt?

Und jetzt im Morgengrauen soll Tinuley vor diesem eingebildeten König Rede und Antwort stehen. Dabei hat sie ihn nur von seinen irdischen Qualen befreit. Und der Genius war ja auch schon soweit...«

In einer markerschütternd schrillen Stimmlage spricht die Nixe ohne Atempause weiter. Ludwig wendet sich ab. So göttlich ihr Gesang, so grässlich tönt ihre Rede in seinem Ohr. War es nicht eine alte Mär, dass Nixen im Gegensatz zu Meerjungfrauen und Wasserfrauen, den Menschen nichts Gutes bringen?

Die Königin

Mrs. Clark berichtet der Königin atemlos, dass Deputy Marshal Brown und Captain Waipa Parker von der Beretania Straße herauf, geradewegs auf ihr Haus zukommen. In ihrer üblichen Gelassenheit weist die Königin Mrs. Clark an, sie möge die beiden Herren, sobald diese das Haus erreichen, in den Salon bitten, dort werde die Königin die Herrschaften empfangen.

Obwohl hierzulande im Umgang mit Mitgliedern der königlichen Familie ein förmliches Begrüßungsritual üblich ist, folgt Marshal Brown dieser Etikette nicht. Noch ehe der zittrige Diener hinter der Königin die Salontüre schließen kann, geht der Marshal auf die eintretende Königin geradewegs zu, und spricht sie ohne Umschweife an:

»Hier ist ein Haftbefehl, der mir erlaubt Eure Majestät unter Arrest zu setzen.«

Dabei wedelt er triumphierend mit einem Papier in seinen Händen. Die Königin wird bleich. Nun haben sie ihr Ziel erreicht. Dass diese Christenmenschen, noch vor nicht allzu langer Zeit in ihr Land gekommen als Missionare, es so weit treiben würden, hätte sie sich in ihren kühnsten Träumen nicht ausmalen können. Jetzt ist der Höhepunkt der Demütigungen der letzten Jahre erreicht.

Die Königin kann sich schnell wieder fassen. Lernte sie nicht bereits in der »Chiefs' Children's Schule« wie wichtig es ist, Herr seiner Gefühle zu sein. So starrt sie jetzt nur mit versteinerter Miene auf das Papier in Mr. Browns Händen und bittet darum, es in Augenschein nehmen zu dürfen.

»Dieses Schriftstück ist weder zu Euren Händen ausgestellt, noch dafür gedacht von Majestät in Augenschein genommen zu werden. Es dient einzig meiner Legitimation, Ihre Majestät unter Arrest zu setzen. Sofern Majestät wünschen kann Mrs. Clark sie als Hofdame begleiten.«

Kann sie sich dagegen wehren? Die beiden Herren wollen sie tatsächlich abführen, sie, die Königin verhaften! In ihrer Kultur ist es nicht üblich, als Herrscher eine Leibwache zu haben, geschweige denn eine bewaffnete Leibwache. Selbst auf ihren Reisen in die Gebiete anderer hoher Anführer wurde sie nur von ihrer Dienerschaft, und nicht selten auch von der königlichen Blaskapelle, begleitet. Das Volk liebt sie. Es gab bislang keinen Grund Leibwächter zu beschäftigen.

Sie ist den beiden Herren ausgeliefert!

Sie überlegt nach einem Ausweg, aber es gibt kein Entrinnen. Was kann sie ausrichten, alleine mit zwei Hofdamen im Haus und ein paar Bediensteten in der Küche? Ach ja, dann ist da noch der alte ehrenwerte Diener, der so blind ist, dass er kaum mehr den Türknauf findet. Und nicht zu vergessen der liebenswerte Gärtner, eine treue Seele, jedoch auch schon etwas in die Jahre gekommen. Mit seinem Buckel könnte er bestenfalls einen Schönheitswettbewerb unter Kamelen gewinnen. Einzig der fleißige Verwalter Mr. Clark, ein Mann in den besten Jahren, könnte hier vielleicht helfen, aber der ist auf den Ländereien unterwegs.

Gefasst ergibt sich die Königin ihrem Schicksal, sie sieht keinen Ausweg, wie sie der Verhaftung entkommen könnte. So schickt sie Mrs. Clark nach ihrer Handtasche und gibt den Bediensteten noch rasch ein paar Anweisungen wie sie während ihrer Abwesenheit zu verfahren haben.

Die Königin nimmt an, dass die beiden Herren sie auf die Polizeihauptwache bringen würden, um sie dort einer weiteren Demütigung in Form eines Verhöres auszusetzen.

Als der Marshal, der Captain, Mrs. Clark und die Königin das Haus verlassen, steht in der Auffahrt schon die wartende Kutsche des Marshals. Vor dem Tor hat sich eine kleine Menschenansammlung gebildet. Die Leute sind neugierig. Warum steht das Gespann des Marshals vor dem Washington Palace, der privaten Residenz der Königin?

Marshal Brown steigt zuerst ein, dann Mrs. Clark gefolgt von der Königin, während Captain Parker am offenen Schlag Kavalier steht. Sie verlassen das Gelände des Washington Palace und der Kutscher muss mehrfach seine Peitsche knallen lassen um die Menschenmenge auseinander zu treiben, so dass eine Gasse zwischen den Neugierigen frei wird. Er lenkt das Gefährt mit der Königin geradewegs auf das Hauptportal des Iolani Schlosses zu.

Das Schloss wurde 1882 fertig gestellt und dient seitdem als Residenz der amtierenden Königsfamilie. Eigentlich hätte sich die Königin dort aufhalten sollen, aber im Washington Palace fühlt sie sich wohler. Es war der Familiensitz ihres Mannes und seit seinem Tod lebt sie am liebsten dort.

Die Hauptauffahrt des Iolani Schlosses wird nur für offizielle Anlässe genutzt; Staatsempfänge oder Gesellschaften. Als die Herrschaften das Eingangstor passieren und die Kutsche langsam die Auffahrt hoch rollt bietet sich der Königin ein grauenhaftes Bild.

Der Schlossgarten ist über und über mit Soldaten bevölkert. Sie schauen alle so müde und abgespannt drein, dass man glauben möchte, sie hielten sich dort schon die ganze letzte Nacht auf. Alles ist belagert! Diese kümmerlichen Gestalten lungern auf den Grünflächen herum als müssten sie sich von einer anstrengenden

Nachtwache erholen. Die Gewehre sind zwischen den kreuz und quer aufgeschlagenen Zelten wie Gartenzäune aufgestellt. Die Soldaten starren alle auf den ankommenden Zweispänner.

Auf der Balustrade, rechts und links der großen Besuchertüre des Schlosses sind zwei Feldkanonen aufgestellt. Bedrohlich und furchteinflößend sind die Messingmündungen direkt auf die Auffahrt gerichtet, und zeigen somit geradewegs auf den eintreffenden Wagen mit der Königin.

Colonel Fisher kommt die Schlosstreppe herunter, um die eingetroffene Gesellschaft in Empfang zu nehmen. Die Angekommenen steigen aus und werden von Fisher über die prunkvolle Freitreppe in den ersten Stock geführt. Dort öffnet er die Tür zu einem Vorraum, von dem aus links eine Tür durch einen kleinen Ankleideraum in ein Badezimmer führt. Rechts im Vorraum findet sich eine Fensterfront mit Flügeltüren, die auf die Balustrade hinaus führen. Sie durchqueren den Vorraum, gehen geradewegs in das große, vordere Eckzimmer, das sich über dem Thronsaal befindet. Sobald die Gesellschaft den Raum betreten hat übergibt Marshal Brown die Königin höchst offiziell in die Obhut von Colonel Fisher.

Während die beiden mit ihren Übergabepapieren beschäftigt sind hat die Königin Gelegenheit sich in dem Zimmer, das sie kaum wieder erkennt, umzuschauen. Aus dem großen, luftigen Raum haben sie alle Teppiche entfernt. In einer Ecke steht jetzt auf dem nackten Holzfußboden ein einfaches Bett. Das restliche Mobiliar besteht aus einem eleganten Sofa, einem kleinen quadratischen Tisch, einem eisernen Safe und einem Schreibtisch, dazu ein einfacher, gewöhnlicher Stuhl. An einer Wand steht noch ein Brotschrank, von der Art wie man sie zur Aufbewahrung von Lebensmitteln benutzt.

Der Gittereinsatz in der Schranktüre garantiert, dass die Luft zwischen den Lebensmitteln zirkulieren kann.

Von dem geräumigen Zimmer führt eine Flügeltüre, die jetzt offen steht, in einen kleinen Erker, in dem ihr entzückender Teetisch mit den zwei dazugehörigen Stühlen steht. Eine weitere Türe führt in ein angrenzendes Zimmer. Alles scheint wohl arrangiert und vorbereitet, um die Königin hier gefangen zu halten.

Die drei Männer sind immer noch mit ihren Papieren beschäftigt, dabei sprechen sie von weiteren Verhaftungen. All ihre treu ergebenen Angestellten und Vertrauten in höherer Stellung sind in den letzten Stunden verhaftet und zu verschiedenen Polizeistationen gebracht worden. Auch Mrs. Clarks Mann ist unter den Inhaftierten.

Nachdem Captain Parker und der Marshal den Raum verlassen haben, wendet sich Colonel Fisher höflich an die Königin. Mit knappen aber freundlichen Worten teilt er ihr mit, dass er befürchte, dies werde nun für die nächste Zeit ihr Aufenthaltsort bleiben. Sollten Majestät ein Begehren haben, möchte sie es dem Wachtposten vor der Türe mitteilen. Die Wachen seien beauftragt, ihre Wünsche zur Prüfung weiterzuleiten. Für ihre Begleitdame Mrs. Clark sei das angrenzende Zimmer gerichtet, für sie gälte das gleiche wie für die Königin, was immer sie begehre, möge sie dem Wachtposten vor ihrer Tür mitteilen.

Ob dieser Mitteilung wird es der Königin ganz schwer ums Herz. Ihr fällt die Phrase »Gefangen im goldenen Käfig« ein und sie denkt, dass dies wohl noch nie auf jemanden mehr zugetroffen hat als auf sie.

Der Palast ist mit allen technischen Errungenschaften, die man sich nur vorstellen kann, ausgestattet. Elektrizität, ein Haustelefon, von der im Keller gelegenen Küche gibt es einen Aufzug in den Vorraum des Speisesaals. Die

Toiletten sind mit einer Wasserspülung ausgestattet. Das Iolani Schloss ist der erste königliche Palast auf dieser Welt, der den Luxus von fließendem Warmwasser vorweisen kann.

Als sich Colonel Fisher zurückzieht richtet die Königin noch einen Wunsch an ihn. Sie würde bevorzugen, dass ihr das Essen aus der Küche vom Washington Palace geschickt wird. Fisher verspricht ihr, diesen Wunsch zur Prüfung an die entsprechenden Herren weiterzugeben.

Das Personal des Washington Palace war und ist ihr treu ergeben, davon ist sie überzeugt. Wenigstens mit diesen vertrauenswürdigen Leuten möchte sie in Verbindung bleiben – auch wenn dieser Kontakt nur über die Mahlzeiten aufrechterhalten werden kann.

Auf das Personal im Iolani Schloss kann sie sich nicht mehr verlassen, das ist klar. Von den Bediensteten aus dem Schloss ist nichts zu ihr durchgesickert, keiner berichtete ihr von den Veränderungen, die hier seit geraumer Zeit vor sich gehen mussten. Die Soldaten im Garten; der Umbau der Räumlichkeiten für ihre Festnahme; all das geschah nicht in den ersten Morgenstunden des angebrochenen Tages. Hier wurde von langer Hand vorbereitet und sabotiert.

Nachdem der Colonel den Raum verlassen hat, wirft sich Mrs. Clark der Königin zu Füßen und beginnt lauthals zu schluchzen. »Oh Majestät, was für ein Unglück, was für ein Unglück.« Auch der Königin ist zum Weinen zu Mute, aber niemals würde sie sich vor einer anderen Person einer derartigen Gefühlswallung hingeben. Sie legt freundschaftlich ihre Hand auf Mrs. Clarks Haupt und streichelt ihr übers Haar. Tröstende Worte bringt sie beim besten Willen nicht über die Lippen. Eine ganze Weile verharren die beiden Frauen so inmitten des großen Zimmers.

In den restlichen Räumlichkeiten des Schlosses sind überall Soldaten einquartiert. Ihre Aufgabe ist es Tag und Nacht am Treppenaufgang, in der Vorhalle und in der Halle, auf der Veranda, vor der Tür der Königin und vor der Tür ihrer Hofdame auf und ab zu patrouillieren. Das ganze Schloss ist durchdrungen von den forschen Schritten der patrouillierenden Soldaten. Alle anderen Geräusche werden von dem zackigen Auf und Ab verschluckt. Die ganze Atmosphäre ist durchdrungen von einem gleichmäßigen klack, klack, klack...

Schließlich verliert sich auch das Wehklagen und Schluchzen Mrs. Clarks im Takt der Patrouillierenden. Sanft zieht die Königin ihre Hofdame wieder hoch. »Bringen Sie mir bitte meine Handtasche und lassen Sie uns ins Erkerzimmer gehen, wir wollen beten.«

Mrs. Clark nimmt die Handtasche der Königin und folgt ihr, noch bevor die Königin ihr einen Platz anbieten kann plumpst sie völlig verzweifelt in den nächsten Palaverstuhl. Das widerspricht jeder Etikette, ist es doch keinem Untergebenen erlaubt, sich ohne Aufforderung zu setzen, und schon gar nicht bevor die Königin ihren Platz eingenommen hat. Unter normalen Umständen müsste dieses Verhalten mit einer sofortigen Entlassung quittiert werden. Aber die Königin ist froh, ein menschliches Wesen bei sich zu haben – und war ihr Mrs. Clark nicht all die Jahre eine verlässliche Begleiterin? Etikette war ihr immer wichtig, aber in diesem Fall verzichtet sie sogar auf eine Rüge, so dankbar ist sie, dass sie in dieser schweren Stunde nicht alleine ist.

Die Königin setzt sich nun selbst und lässt sich ihre Handtasche reichen, dort findet sie ein kleines Buch mit Gebeten für den Alltag, so wie sie in ihrer Kirche, der Episcopal Church üblich sind. Das Büchlein ist ihr ständiger Begleiter und es spendete ihr schon in vielen schwierigen Situationen Trost. Entsprechend der Ereig-

nisse des vergangenen Tages will die Königin ein paar
passende Gebete auswählen. Beim Blättern in dem Büchlein fällt eine Fotografie zu Boden. Es handelt sich um ein
Bild, das ihr einst, auf ihrer großen Reise über den
Kontinent, vom deutschen Kaiser persönlich geschenkt
wurde. Seitdem dient ihr dieses Geschenk als Lese-
zeichen. Sachte hebt sie die Fotografie auf und platziert
sie mit Wehmut auf dem Teetisch.

Die beiden Frauen verbringen gemeinsam noch eine
geraume Zeit des Gebets. Schließlich endet ihre Hingabe
in einem Kanon, immerfort wiederholen sie:

»Oh Vater im Himmel, Du bist die Liebe, Du bist die
Gerechtigkeit, Dein Reich komme, Dein Wille geschehe!«
Dann zieht sich Mrs. Clark für die Nachtruhe zurück, als
sie die Türe zu ihrem angrenzenden Zimmer öffnet, bricht
sie auf ein Neues in lautes Schluchzen und Wehklagen
aus.

Jetzt ist die Königin alleine. Sie findet in der Ankleide-
kammer vor dem Badezimmer ein Nachtgewand und
macht sich zurecht für ihre erste Nacht in Gefangenschaft.
In dem Bett, das mehr einem Feldbett als einer
königlichen Ruhestätte gleicht, findet sie keinen Schlaf.
Das Geräusch der niemals zur Ruhe kommenden Schritte
ihrer Bewacher, die unaufhörlich im selben Rhythmus
durch das Schloss hallen, das erbärmliche Schluchzen von
Mrs. Clark aus dem Nebenraum und ihre unaufhörlich
kreisenden Gedanken über die Ereignisse des vergangenen Tages lassen sie keine Ruhe finden.

Nach einer Weile steht sie wieder auf und klopft an die
Verbindungstür zu Mrs. Clarks Gemach. Mrs. Clark
erscheint sofort an der Tür, die Königin ergreift ruhig ihre
Hände und richtet das Wort an die Elende:

»Da wir nun wissen, dass auch ihr Mann im Gefängnis ist,
ist es Ihre Pflicht Mrs. Clark, zu ihren Kindern zurück zu
kehren. Morgen früh werde ich sofort mit Mr. Fisher

sprechen und ihn bitten, eine andere Hofdame für mich zu bestimmen.«

Ob dieser Worte scheint sich die verzweifelte Frau zu beruhigen. Mit einem tiefen Hofknicks drückt sie ihre Dankbarkeit und Erleichterung aus. Sie zieht sich in ihr Zimmer zurück.

Mr. Clark hat sich in den letzten Jahren als einer ihrer treuesten und fähigsten Verwalter der königlichen Ländereien erwiesen. Der einzige Grund für seine Verhaftung ist, dass er sich im Dienst der Königin befindet. Ansonsten hat er sich nie eines Verbrechens schuldig gemacht.

Eine kleine Gruppe Königstreuer, mit denen Mr. Clark gewiss nichts zu tun hatte, soll angeblich Vorbereitungen getroffen haben, die Monarchie wieder herzustellen. Entweder gab es Verräter, und dieses Vorhaben wurde im Keim erstickt, oder der Putschversuch war erfunden und dient jetzt als Vorwand, um unliebsame Personen aus dem Weg zu räumen.

Die Königin fühlt sich am Ende ihrer Kräfte. Seit nunmehr zwei Jahren hat sie keine Möglichkeit unversucht gelassen, um für ihr Volk Gerechtigkeit zu erwirken und die Partei der Missionare in ihre Schranken zu weisen – aber mit jedem Tag ließen sich diese Christenmenschen eine neue Dreistigkeit einfallen. Und jetzt hat man zu guter Letzt sie, die Königin, in ihrem eigenen Schloss gefangen gesetzt. Sie stößt einen tiefen Seufzer aus.

Im Nachbarraum ist das Wehklagen verstummt. Nur noch das forsche klack, klack, klack erfüllt die Stille. Es ist eine anhaltende Beleidigung für die königlichen Ohren, in einem fort wird sie daran erinnert, dass sie eine Gefangene ist. Keinen Augenblick lang gönnt man ihr, ihre Situation zu vergessen. Vom Widerhall der Schritte gequält flüchtet sie ins Erkerzimmer und schließt die beiden Flügeltüren, um das verhasste Geräusch wenigstens etwas zu dämmen. Ja, hier ist es erträglicher; erschöpft lässt sie sich in einen der beiden Stühle fallen.

Ihr Blick streift die Fotografie die noch am Tisch liegt. Bedachtsam nimmt sie das Bild in ihre Hände und jetzt endlich, nachdem sie über zwei Jahre lang die größten nur erdenklichen Qualen ertragen hat, jetzt endlich, endlich kann sie weinen. Es ist als hätte diese kleine Fotografie den Damm ihrer aufgestauten Tränen gebrochen.

Der König

Juni 1887–Januar 1895

Er war gerade erst ein paar Wochen an seinem selbst erwählten Bannort und noch immer in höchster Aufregung über die Veränderungen, die seit seiner Verhaftung vor über einem Jahr auf dem Schloss vorgegangen sind.

Als ihn diese Handlanger des Bösen seinerzeit entmündigten und aus dem Schloss abführten, verabschiedete er sich von dem treuen Schlossdiener Stichel mit den Worten:

»Stichel, leben Sie wohl, bewahren Sie diese Räume als Heiligtum, lassen Sie das Schloss nicht profanieren von Neugierigen, denn ich habe darin die bittersten Stunden meines Lebens verbracht.«

Aber natürlich lag es nicht in Stichels Macht, das Schloss vor der Schändung dieser Tintengiftschmierer und Dutzendmenschen zu schützen. Nur sechs Wochen nach seiner Beerdigung haben diese nichtsnutzigen Stiesel seine geheiligten Räume zur Profanierung freigegeben.

Seitdem strömen unentwegt herdenweise neugierige Touristen durch seine geweihten Räume, sie befummeln mit ihren Schmutzfingern alles! Keine Wandvertäfelung, kein Gobelin, keine Konsole, kein Kachelofen, kein Tisch, nichts bleibt den gierigen Blicken verschont und selbst vor dem Prunkbett im Schlafgemach machen ihre klebrigen Finger keinen Halt. Restlos wird das, was er in tiefsten Nöten und größter seelischer Pein geschaffen, befingert und entheiligt.

Als er vor dem großen Gericht wählen musste und sich für Schloss Neuschwanstein als den Ort seiner Bannung entschied, war ihm nicht bewusst wie groß die Anzahl der Neugierigen ist, die täglich durchs Schloss geschleust werden und dabei in jeden Winkel gaffen. Bei seinen kurzen Besuchen auf dem Schloss während seiner Bardo-Zeit sah er zwar die Schaulustigen ins Schloss strömen, aber er war so erzürnt über die stümperhaft ausgeführten Bauarbeiten, dass er die Besucher gar nicht richtig bemerkte – oder vielleicht waren es zu dem Zeitpunkt noch nicht so viele?

Beim Tod des Königs waren ja die Bauarbeiten auf Neuschwanstein bei weitem noch nicht abgeschlossen. Zwar hat das Ministerium kurzfristig einen Baustopp verhängt, doch Ludwig konnte mithilfe seiner unter- und überirdischen Freunde die Arbeiten bald fortsetzten lassen.

Lange hatte er damals überlegt, wie es ihm wohl gelingen könnte, den erlassenen Baustopp wieder aufzuheben, bis ihm die zündende Idee kam. Zu dem Zeitpunkt war er bereits einigermaßen mit den Eigenheiten der verschiedenen Geistwesen vertraut.

Er erinnert sich noch genau an die Ministersitzung, als er ein paar Flüstergeister und einen Plagegeist überredete, sich an dem Schabernack zu beteiligen. Den Plagegeist setzte er schon ein paar Tage vor der entscheidenden

Sitzung auf den Ministerpräsidenten Johann von Lutz an. Das war keine Schwierigkeit, denn Plagegeister fühlen sich am wohlsten bei Menschen, die Dankbarkeit für eine charakterliche Schwäche halten. Und von dieser Sorte war Lutz. Eigentlich war es ein Wunder, dass der Ministerpräsident nicht schon von einem Plagegeist besetzt war.

Der Plagegeist also quälte den Ministerpräsidenten, diesen Drahtzieher der Verschwörung, unentwegt mit den immer wieder kehrenden Gedanken, dass der Baustopp den wirtschaftlichen Ruin Bayerns bedeuten würde. Was gar nicht so weit hergeholt war denn, durch den Schlösserbau erblühten in ganz Bayern die feinsten Handwerkskünste. Unzählige Schnitzer, Schreiner, Stuckateure, Weber, Bildwirker, Sticker, Kunstmaler, Anstreicher, Emailarbeiter, Wollspinner, Galvaniseure, Baukünstler, Bauhandwerker, Holzarbeiter, Porzellankünstler, Kunstschmiede, Kutschenbauer, Färber und viele mehr fanden durch den Schlösserbau ein Einkommen. Der Plagegeist malte also dem Ministerpräsidenten in den schrecklichsten Farben die sich abspielenden Szenarien aus, wenn all diese Handwerker und Künstler arbeitslos würden. Grausamste Rachefeldzüge der Arbeitslosen, die sich gegen die Regierung auflehnen, spielten sich unablässig in seinen Gedanken ab.

So konnte Lutz bei der Regierungssitzung nicht anders, als eine flammende Rede für die Weiterführung der Bauarbeiten zu halten. Zum wirtschaftlichen Zusammenbruch Bayerns würde die Aufrechterhaltung des Baustopps führen, eine Katastrophe für das ganze Land!

Dieser Sinneswandel traf die anderen Minister so überraschend, dass sie sprachlos waren. War nicht Lutz die treibende Kraft, den König zu stürzen? Noch vor ein paar Tagen behauptete er, Ludwigs Schlösserbau würde die Staatskasse plündern und Bayern in den Bankrott treiben?

Nur der Finanzminister Emil von Riedel stammelte ein paar Gegenworte und wollte daran erinnern, dass es doch hauptsächlich die hohen Baukosten waren, die sie den Komplott gegen den König schmieden ließen. Aber für die Flüstergeister, die sich in dem aufgezwirbelten Schnurrbart des Finanzministers eingenistet hatten war es ein leichtes, die herausgestammelten Gegenargumente zu verschlucken, zu kauen und die Buchstaben als zustimmende Worte wieder auszuspucken.

Leider war da noch der euphorische Einwurf des Innenministers Freiherr von Feilitzsch, auf den Ludwig nicht schnell genug reagieren konnte:

»Ja, die Bauarbeiten sollten schnellstmöglich fortgeführt werden, um die Schlösser nach Fertigstellung für das Volk frei zu geben – natürlich gegen eine Eintrittsgebühr. Damit können wir eine langfristige Einnahmequelle schaffen, und das Volk kann sich selbst von der Verrücktheit Ludwigs überzeugen.«

So ließ er verlauten.

Ludwig ärgert sich heute noch, dass er es versäumte, Feilitzsch schnell genug ein paar Flüstergeister an die Gurgel zu schicken. Wie konnte er nur untätig zulassen, dass seine größten Heiligtümer so zur Schau gestellt werden? Aber damals war er einfach überglücklich, dass die Schlösser nicht als halbfertige Ruinen verwaisen sollten. Und er wusste ja noch nicht, dass er einmal auf Schloss Neuschwanstein festsitzen würde.

Als er am 12.6.1886 morgens um vier Uhr aus seinem Schloss abgeführt wurde, war Neuschwanstein noch eine riesige Baustelle. Grade mal die wichtigsten Räume im ›Palas‹ waren mehr oder weniger fertiggestellt. Das 1882 begonnene Ritterhaus und der Verbindungsbau zum Torbau standen teilweise noch im Rohbau. Für die Kemenate und den Bergfried waren gerade erst die Fundamente gelegt.

Der geniale Baumeister Julius Hofmann hatte bereits 1884 die Bauleitung sämtlicher Bauvorhaben übernommen. Jetzt bekam er den Auftrag von der Regierung, die königlichen Bauten fertig zu stellen – aber wie! Seine Anweisung lautete: So schnell wie möglich, mit dem geringsten finanziellen Aufwand alle Bauten so abzuschließen, dass Touristen eingelassen werden können.

Hätte Ludwig den Baumeister nicht so sehr geschätzt, hätte er ihm wegen seiner entsetzlichen Kompromisse in der Bauausführung sicherlich die übelsten Streiche gespielt. Einmal, das war gleich nachdem er erfuhr, dass Hofmann die Verzierungen mit den naturalistischen Formen an den Obergeschossfenstern nicht ausführen würde, war er so erzürnt, dass er sogar ein paar Berggeister gegen ihn aufhetzen wollte. Janks hatte doch für die Verzierungen an den Fenstern so wunderbare Ornamentik entworfen – die Ausführungen hätten der Fassade einen märchenhaften Zauber verliehen…

Berggeister tummeln sich übrigens haufenweise um Neuschwanstein herum, sie lieben die schroffen Felsen. Es macht ihnen Spaß, auf dem Rücken der Gämsen und Bergziegen zu reiten. Wenn die Ziegen störrisch sind und ihre Anweisungen nicht befolgen, packen sie sie manchmal an den Hörnern und verdrehen ihnen den Kopf oder sie ziehen ihnen den Bart lang. Wanderer, die ihnen ungelegen kommen, vertreiben sie gerne indem sie Felsbrocken oder Steinlawinen in deren Richtung lostreten.

Ludwig wollte also schon ein paar Berggeister beauftragen, bei der nächsten Visite Hofmanns Steinlawinen und Felsbrocken loszutreten, um ihm damit einen ordentlichen Schrecken einzujagen. Aber dann erfuhr er gerade noch rechtzeitig von Kimon, dass Hofmann seit geraumer Zeit von einem Emotionsgeist, kurz Emogeist genannt, besetzt war.

Emogeister schweben zwischen den Menschen umher und wenn ihnen die Aura eines Menschen zusagt, lassen sie sich auf ihm nieder. Dann berauschen und beglücken sie ihn oder sie machen ihn böse, traurig, verzweifelt. In Hofmanns Fall versetzte ihn sein Emogeist in tiefe Verzweiflung. Er fand kaum noch Schlaf. Wollte er doch die Bauarbeiten möglichst im Sinne Ludwigs ausführen, hatte dabei aber gleichzeitig die Vorgaben der Regierung zu beachten; möglichst schnell bei niedrigen Kosten die Arbeiten abzuschließen. Eine Gratwanderung, die ihn in kaum zu bewältigende Gewissenskonflikte stürzte.

Ludwig freundete sich übrigens mit dem Wichtel Kimon schon kurz nach seinem irdischen Ableben an und vertraut ihm seither voll und ganz. Es war sozusagen Liebe auf den ersten Blick zwischen den beiden – aber das ist eine andere Geschichte. Nach Kimons Bericht über die Besetzung Hofmanns von einem Emogeist, lies jedenfalls Ludwig seinen Plan mit den Berggeistern wieder fallen.

Als Ludwig nach seinem Bardo-Jahr schließlich Neuschwanstein als den Ort wählte, von dem er sich künftig nicht mehr wegbewegen würde können, wurde er mit jedem Tag zorniger über die Touristenströme, die durch seine geheiligten Räume geschleust wurden.

Er verkroch sich in die letzten Winkel des Schlosses, sich immer wieder seiner guten Vorsätze erinnernd. Er wollte wirklich nur noch gute Taten vollbringen! Keine Rachegefühle mehr hegen, keinen Unfrieden mehr stiften und nur noch freundliche Gedanken pflegen.

Das mit den freundlichen Gedanken war am schwierigsten. Er brauchte die Touristen nur von weitem zu hören, schon bekam er einen Wutanfall – und ein Wutanfall bringt alles andere als freundliche Gedanken mit sich. Aber wie soll man freundliche Gedanken hegen, wenn alles, was einem heilig ist, besudelt wird?

Sein Vorsatz mit den freundlichen Gedanken war nichtsdestotrotz sehr ernst gemeint. Seine Bemühungen gingen sogar soweit, dass er tagsüber seine Wohnräume verließ und sich in die unbeachteten Räume des, noch nicht fertig gestellten, Ritterbaus zurückzog. Erst am Abend, wenn das schwere Schlosstor mit einem lauten Knarren hinter dem letzten Fremdenführer zufiel, kehrte er aus seinem Schlupfwinkel zurück in seine geliebten Gemächer.

Eines Tages begab es sich, dass einer dieser elend Neugierigen urinieren musste. Mit seiner Not trat der Tourist in den Wintergarten hinaus – und pinkelte eilends in den dort aufgestellten Schalenbrunnen! Dieser kleine Brunnen, ein Schmuckstück der Steinkunst, war für den noch nicht fertiggestellten maurischen Saal bestimmt. Für Ludwig war es eine weitere, ungeheuerliche Schändung seiner Heiligtümer – doch nun endlich reagierte die Schlossverwaltung.

Um künftig die kostbarsten Schätze, die seit vielen Jahrhunderten in Bayern geschaffen wurden, vor weiterer Beschmutzung zu schützen, stellte die Verwaltung Absperrungen auf. Wenigstens konnten die Schaulustigen jetzt nicht mehr alles befingern, sie durften nur noch in respektvoller Distanz, hinter einer Absperrung, durch die Räume laufen. Zu Ludwigs größter Freude wurde auch der Zugang zum Wintergarten versperrt. Eine Glastür lässt die Neugierigen lediglich einen kleinen Winkel des Raumes erspähen.

Seit dieser Zeit hält sich Ludwig mit Vorliebe im Wintergarten auf. Dort hat er Frieden vor den Besucherströmen. Er kann stundenlang den herrlichen Ausblick über das Schwangauer Land genießen. Für die frühe Morgenstunde war ihm der Wintergarten schon immer der liebste Platz. Noch bevor die Sonne über den Horizont steigt, durchfluten ihre ersten Strahlen die schroffen Spitzen der sich auftürmenden Alpen. Das ist ein Lichtspiel wie es kein Maler dieser Welt festhalten kann. Denn, der Zauber des aufsteigenden Lichtes liegt in der ständigen Veränderung. Ein Farbenspiel wie es prächtiger nicht sein könnte. Die bizarren Felswände reflektieren den Lichteinfall des gesamten Spektrums in solch göttlicher Herrlichkeit, wie es kein Mensch sich ausdenken kann.

Aber, im Wintergarten geht auch eine Merkwürdigkeit einher, die den König erstaunt, ja ob deren er gelegentlich sogar an seinem Verstand zweifelt. Manchmal meint er, dass sich die illusionistisch bemalten Wände des kleinen Raumes in der Glasscheibe spiegeln und ihn in die Irre führen. Die verwunderlichsten Erscheinungen waren ihm schon beschert. Doch diese Erscheinungen bemächtigen sich seiner nur, wenn er aus dem mittleren Fenster gedankenverloren übers Land schaut.

Auch heute sah er wieder so ein verrücktes Bild.

Eine Fotografie

17.01.1895

Zu Tode erschreckt weicht Königin Liliuokalani zurück. Gerade eben starrte sie noch gedankenverloren auf die Fotografie, die ihr Kaiser Wilhelm während des 50-jährigen Thronjubiläums der englischen Königin überreicht hatte.

Es war im Frühjahr 1887 als sie mit einem Dampfschiff in Honolulu ablegte und die weite Reise nach Europa antrat. Die Monarchen und Herrschenden der ganzen Welt versammelten sich im Sommer, um Queen Viktoria zu feiern.

Prinz Heinrich von Preußen, der einige Jahre zuvor die hawaiianischen Inseln besucht hatte, saß ihr an der großen Tafel gegenüber. Zu ihrer Rechten saß der Kaiser von Deutschland. Kaiser Wilhelm erwies sich als freundlicher Tischnachbar und war ein angenehmer Gesprächspartner. Während ihrer angeregten Unterhaltung erzählte er vom Drama dieses unglücklichen Bayernkönigs.

Vom Volk geliebt, wurde König Ludwig II. von den Mächtigen seines Landes in den Tod getrieben. Wegen seiner ›verrückten‹ Bauvorhaben wurde er entmündigt. Als der Kaiser schließlich eine Fotografie des Schlosses Neuschwansteins hervorholte fühlte sich Liliuokalani wie verzaubert von der märchenhaften Architektur. Zutiefst berührt vom tragischen Schicksal des genialen Bauherren konnte sie ihren Blick von dem atemberaubenden Schloss kaum mehr abwenden.

Auf ihrer Reise, die nach dem Thronjubiläum noch durch weitere europäische Länder führen sollten, wollte sie auch das Königreich Bayern besuchen. Aber diese Freude war ihr nicht mehr vergönnt. Noch während der Feier am englischen Hof erfuhr sie von dem revolutionären Aufruhr in Hawaii. Die Nachkommen der Missionare wollten ihren Bruder, den König, stürzen und die Regierungsgeschäfte an sich reißen. Sie musste ihre Reise vorzeitig abbrechen.

Zum Abschied wollte ihr damals Kaiser Wilhelm eine Freude machen und überließ ihr die Fotografie mit dem märchenhaften Schloss. Seitdem trägt sie das Bild in ihrem Gebetsbüchlein.

Schon oft holte sie die Fotografie hervor und schloss den unglücklichen Bayern-König in ihr Abendgebet ein.

Doch heute, im spärlichen Zwielicht des Kerzenscheins geschah eine Ungeheuerlichkeit. Die Kerze warf flackernd ihre schwachen Lichtzünglein an die weiß getünchten Wände des Erkerzimmers. Melancholisch ruhte ihr Blick auf dem Schloss und ihre Gedanken zogen Parallelen zwischen ihrem eigenen und dem Schicksal König Ludwigs II. Die Verzweiflung und Sorge über ihr unterdrücktes Volk trieben ihr die bittersten Tränen aus den Augen.

Plötzlich vibrierte das Bild in ihren Händen, es schien sich aufzublähen und erwachte zu Leben. Ein Zittern erfasste ihre Hände. So, als wäre sie von der Schüttelkrankheit besessen, durchzuckte es sie. Dann öffnete sich jäh das Fenster des Wintergartens auf der Fotografie. Wie ein Toter aus seinem Grab am Jüngsten Tag, entstieg ein Geist der Fotografie.

Eine geheimnisvolle Reise

Auch Ludwig ist noch ganz blümerant zu Mute. Obwohl er sich längst nicht mehr über die seltsamsten Begebenheiten wundert, ist ihm von diesem Zauber jetzt ganz schwindelig. Unsicher blickt er in dem kleinen Raum umher. Eine krächzende Stimme meldet sich:

»Majestät haben soeben die Lücke im System entdeckt!«

Behände klettert der kleine Wichtel aus Ludwigs Hermelinmantel und springt zur Kerze auf das Teetischchen neben der Königin. Unsicher stammelt der König:

»Aber Kimon, wie konnte ich den Ort meiner Verbannung verlassen, was ist geschehen?«

»Majestät, ganz einfach!« gurgelt die helle Stimme des Wichtels während er auf dem Tischchen um die Kerze hüpft wie Rumpelstilzchen.

»Man nehme ein Abbild des Neuen Schlosses. Dazu nehme man einen Menschen mit unschuldigem Herzen; seine Augen, die Schlüssel zur Seele, hafte man auf den Wintergarten. Sodann nehme man den reinen königlichen Blick, der seinerseits durchs Fenster blickt. Blick und Blick ergibt Seelen-Verbindung. Man lasse nun Majestät das Fenster öffnen und die geistige Brücke beschreiten.«

Während Kimon spitzbübisch um die Kerze hüpft, sitzt Liliuokalani noch immer wie versteinert auf ihrem Stuhl. Die Fotografie ist ihr mittlerweile auf den Schoß gefallen. Ludwig fühlt sich unwohl. Wie eine Wachsfigur steht er in dem schummrig beleuchteten kleinen Raum vor dieser Dame, die offensichtlich ein Nachtgewand trägt. Was ist nur in ihn gefahren, wie konnte er nur einfach sein Fenster öffnen und in ihr Gemach steigen?

In seinem Wintergarten sitzend blickte er aus dem Fenster und sah die Dame schluchzend in ihrem Zimmerchen. Die dicken Tränen konnte er nicht ertragen, sein Herz war voll des Mitgefühls. Dieser exotisch anmutenden Frau mit ihrer haselnussbraunen Haut wollte er Trost zusprechen! Aber jetzt steht er hier, fühlt sich wie zu Lebzeiten bleischwer und bringt kein einziges tröstendes Wort über die Lippen. Vorsichtig stammelt er:

»Gestatten Gnädige Frau, darf ich mich vorstellen? Mein Name ist Wiggerl. Eh, Verzeihung, ich meine Ludwig. Untröstlich bin ich, wie konnte ich nur unangemeldet in Ihr privates Gemach dringen, bitte schenken Sie mir Glauben, mir ist es selbst ein Rätsel wie dem Geschehen konnte!«

Über die Jahre als Mane hat sich der König längst daran gewöhnt von den Über- und Unterirdischen ›Wiggerl‹

genannt zu werden. Nur der treue Kimon lässt es sich nicht nehmen, ihn förmlich mit »Majestät« anzusprechen. Liliuokalani öffnet ihre Lippen, sie will etwas sagen, aber ihre Stimme versagt. Sie räuspert sich, dann gelingt es ihr ganz leise zu hauchen:

»Seid Ihr mein Aumakua?«

»Verzeihung Gnädige Frau, ich weiß nicht wovon Ihr sprecht? Einst war ich ein Monarch und regierte ein kleines Königreich in Deutschland.«

Die Königin denkt lange nach. In der Religion ihrer Ahnen war die irdische Welt von Geistern beseelt. Mit dem Eintreffen der ersten Missionare wurde der alte Glaube erst verteufelt und schließlich verboten. Als Kind schlich sie sich oft heimlich zu einem Kahuna nui (einem Meister der spirituellen Unterweisung). Gebannt hing sie an dessen Lippen wenn er von den Gesetzen zwischen den Göttern, der beseelten Natur und den Menschen sprach. Sie konnte sich an den fantastischen Ausführungen nicht satt hören. Später, als bekennende Christin belächelte sie die netten Geschichten von damals.

Ein Aumakua, ein Verstorbener aus der eigenen Ahnenlinie kann in menschlicher Gestalt, als Tier oder Pflanze in Erscheinung treten. Er ist eine Art Schutzengel. Die Königin fragt sich, ob es möglich sei, dass ein Aumakua sich der menschlichen Gestalt des Bayern-Königs bedient um in Erscheinung zu treten?

Unsicher fragt sie deshalb:

»Seid Ihr etwa Otto Friedrich Wilhelm Ludwig aus dem Geschlecht der Wittelsbacher, also König Ludwig II. von Bayern?«

Jetzt ist der König bass erstaunt – die Dame kennt seinen vollen irdischen Namen!

»Ja, ja der bin ich. Nein! – Also um der Wahrheit zu genügen, der war ich. Jetzt bin ich nur noch der Mane Wiggerl, wie mich meine unter- und überirdischen

Freunde nennen – aber ehrlich gesagt würde ich mich wohler fühlen, wenn Ihr mich Ludwig nennen würdet. Nur, woher wisst Ihr meinen vollen irdischen Namen? Ihr seid mir gänzlich unbekannt, wer seid Ihr?«

Liliuokalani ist nach reiflicher Überlegung überzeugt, dass ihr Aumakua in der Gestalt Ludwigs erschienen ist und bestens über sie Bescheid weiß. Trotzdem antwortet sie ausführlich und respektvoll:

»Majestät, ich bin die leibliche Schwester von David Kalakaua, mein Name ist Liliuokalani. Nach meiner Geburt wurde ich von Paki, einem hohen Anführer adoptiert. Mein Bruder Kalakaua regierte das Königreich Hawaii von 1874 – 1891. Nach seinem Tod folgte ich ihm auf den Thron. Die Nachfolger der Missionare, mittlerweile tüchtige Geschäftsleute, haben sich unserer Ländereien bemächtigt und unterdrücken jetzt das Volk. Ihre Partei hat in den letzten Jahren Zug um Zug die Monarchie entmachtet. 1894 haben die weißen Geschäftsleute – hier unten vor dem Palast (und sie deutet zum Fenster raus) – die Republik ausgerufen. Mich ließ man bis zum gestrigen Tag in Würde leben. Heute hat man mich als Gefangene in meinem eigenen Schloss festgesetzt!«

»Oh, verehrte Königin, selbst im Nachtgewand unter der Bürde dieses großen Kummers strahlt Ihre exotische Schönheit voll majestätischer Würde! Mein Herz ist schwer, als Waise in fremder Obhut aufgewachsen, müsst Ihr jetzt auch noch die Last eines unterjochten Volkes tragen.«

Liliuokalani wundert sich erneut; als ihr Aumakua müsste Ludwig doch wissen...

»Majestät, ich war kein Waise! Ich wurde schon vor meiner Geburt dazu bestimmt, nicht im Haus meiner Eltern aufzuwachsen. Mein Vater war einer der höchsten Anführer und umgeben von Hunderten seiner Leute. Alle haben sich um sein Wohlergehen gekümmert. Wenn sie ihn besuchten kamen sie nie mit leeren Händen, immer brachten sie Leckereien mit.

Meine Eltern lebten in einem herrschaftlichen Grashaus, das umgeben war von kleineren. Die kleineren Häuser waren das Zuhause von denen, die für ihn gesorgt haben. Insgesamt hatten meine Eltern zehn Kinder, die meisten davon wurden von anderen hohen Anführern adoptiert. Konia, meine Stiefmutter, war eine Enkelin von Kamehameha I. und war verheiratet mit Paki, der ebenso ein hoher Anführer war wie mein Vater. Ihre einzige Tochter, Bernice Pauahi, war somit meine Stiefschwester. Wenn ich über meine verwandtschaftlichen Beziehungen in dieser Weise spreche, dann nur, damit Ihr die Verhältnisse verstehen könnt.

In unserer Sprache gibt es keinen Unterschied, für mich waren und sind Paki und Konia meine Eltern, Bernice ist meine Schwester. Als Kind bin ich auf Pakis Knie geklettert und hab ihn umarmt und liebkost und er hat mit mir gescherzt wie mit meiner Schwester, da gab es keinen Unterschied.

Majestät machen so große Augen – ich weiß, für einen Fremden ist dies schwierig zu verstehen. In unserem Leben war das jedoch völlig normal.

Vor langer Zeit hatten wir einen sehr weisen Häuptling unter uns, der diesen Brauch einführte, um die freundschaftlichen Bande zwischen den Sippen zu stärken. Aufgrund der Adoptionen zwischen den Anführern, und später auch unter den gewöhnlichen Leuten, bemühte man sich, Streitigkeiten zwischen den Clans immer auf friedliche Weise zu lösen.«

Ludwig ist gerührt:

»Verehrte Königin, welch weiser Häuptling muss das gewesen sein! Eure Kultur scheint der meinigen doch sehr verschieden zu sein. Gerne würde ich noch mehr über das

Brauchtum und die Sitten Eurer Kultur erfahren. Doch drängt es mich erst nach einer Bitte! Seit meinem irdischen Ableben fühlte ich mich nicht mehr so kraftlos und schwer, es wäre mir eine große Erleichterung, wenn ich Platz nehmen dürfte?«

Liliuokalani bittet Ludwig sich zu setzen – wie konnte sie nur so unhöflich sein, ihm keinen Platz anzubieten? Es muss wohl der Schreck über sein Erscheinen gewesen sein, der sie jegliche Höflichkeit vergessen ließ. Immer noch ist sie verwirrt. Ist Ludwig ihr Aumakua? Gibt sich ein Aumakua zu erkennen? Wenn Ludwig nicht als Aumakua zu ihr gekommen ist, was hat seine Erscheinung dann zu bedeuten?

»Gerne Majestät komme ich Ihrem Wunsch nach, mehr von meiner Kultur zu erzählen. Doch erlaubt vorweg eine Frage: Ihr spracht davon ein ›Mane‹ zu sein. Was ist ein ›Mane‹ und wie seid Ihr nach Eurem Tod dazu geworden?«

Erschöpft vom langen Stehen lässt sich Ludwig auf den Stuhl neben der Königin fallen. Er atmet jetzt tief durch bevor er antwortet:

»Verehrte Königin, als ›Mane‹ bezeichnet man in meinem Kulturkreis allgemein die Seele eines Verstorbenen, die auf Wanderschaft ist. Im Volksmund sagen die Leute auch Totengeist dazu. Wenn ein Mensch stirbt geht seine Seele in diese Existenz über. Was das aber im Einzelnen bedeutet ahnt kaum ein irdisches Wesen.«

»Oh Majestät, ich bin ganz Ohr, erzählt mir doch von der Bedeutung und dem Alltag dieses Daseins!«

Ja, was bedeutet es ein Mane zu sein und wie sieht sein Alltag aus? Diese Frage ruft bei Ludwig Erinnerungen wach; Bilder der letzten Jahre ziehen an ihm vorüber wie ein endloser, unwirklicher Traum.

Ludwig weiß zuerst nicht wie er beginnen soll – für einen Irdischen muss seine Geschichte geradezu fantastisch klingen. Dann formuliert er bedächtig seine Worte:
»Eure Frage greift nach einem Geheimnis, das noch nie einem Irdischen direkt offenbart wurde. Ich werde Euch jetzt in das Mysterium des Lebens nach dem Tod einweihen.«

Die Versammlung

14.06.1886

Ludwig fährt in seiner Erklärung für Liliuokalani fort: »Als das Leben unsere Leiber verlassen hatte, waren sowohl meine Wenigkeit als auch Dr. von Gudden reichlich verwirrt. Es ist ein merkwürdiges Gefühl den eigenen Körper tot im See schwimmen zu sehen, und gleichzeitig als Geistwesen in völliger Schwerelosigkeit durch den Raum zu schweben. Ist man darauf nicht vorbereitet kostet es einige Zeit, sich mit der neuen Daseinsform zurechtzufinden. Trotz allem war es für mich ein wunderbarer Zustand. Ich fühlte mich als wäre eine tonnenschwere Last von mir gefallen.
Nach unserem irdischen Tod wurden Dr. von Gudden und ich vom Gesang einer Nixe und den Irrlichtern von Irrwischen tief in den Wald gelockt. Plötzlich verstummte der Gesang und die Lichter waren erloschen. Wir fühlten uns im stockdunklen Wald verloren; wussten nichts über die Existenz im Jenseits; und hatten gerade erst gelernt, uns fortzubewegen. Wie sich verehrte Königin sicher vorstellen können: es war ein Moment größter Angst. Wir

wussten nicht wie uns geschieht. Keine Vorstellung hatten wir von der Vielzahl der über- und unterirdischen Wesen, denen wir in dieser Nacht noch begegnen sollten. Und das war gut so.

Als im Dunkel des Waldes schließlich zwei Elfen vor uns auftauchten, folgten wir ihnen mit bangem Herzen zu einer Lichtung. Was uns dort erwartete, lässt sich kaum in Worte fassen.

Zuerst glaubten wir, dass Nebelschwaden langsam vom feuchten Boden aufsteigen würden. Doch dann konnten wir erkennen, es wimmelte nur so von Wesen! Als wir schließlich zur Mitte der Lichtung schwebten wurde es schlagartig totenstill. All die Kreaturen hielten inne und musterten uns.

In den Bäumen rings um die Lichtung saßen unzählige Elfen. Diese geflügelten Lichtwesen schimmerten von innen heraus und tauchten die Lichtung in eine obskure Blässe. Kein Bühnenmeister dieser Erde hätte für diese Szene ein besseres Licht setzen können. Was hätte ich für so ein Licht in meiner blauen Grotte auf Schloss Linderhof gegeben...

Verzeihung verehrte Königin, jetzt komme ich ins Schwärmen, aber damals, da war mir gar unheimlich zu Mute. Wo waren wir stehen geblieben?«

»Majestät erzählten von den Elfen...« erinnert ihn Liliuokalani.

»Ach ja, die Elfen; allesamt hatten sie ihre Tarnkappen abgenommen, saßen in den Bäumen und warfen ihr bleiches Licht über die dunkle Waldwiese. Die Feen hatten ihre Reigentänze unterbrochen und standen in dreier-, siebener- und zwölfer- Gruppen auf der Lichtung verteilt. Erdgeister kauerten auf dem Boden. Über einer leeren Flasche hing ein Flaschengeist. Die Wald- und Baumnymphen reckten uns von ihren Ästen herab die Köpfe zu. Traumgeister schwebten schemenhaft über der

Wiese. In einer Pfütze hockten ein paar Wassergeister. Als Schatten getarnt lungerte ein Nachtgespenst in einer Ecke herum. Bärtige Gnome streckten die Köpfe aus ihren Erdlöchern. Einige Manen kürzlich Verstorbener aus der Umgebung hatten sich unter die Menge gemischt. Wiesennymphen äugten aus dem nassen Gras heraus. Irenäus, ein Waldschrat, der uns schon beim Betreten des Waldes erschreckt hatte, tauchte wieder auf. Klio, die Muse der Geschichtsschreibung, saß mit ihrer endlosen Papierrolle auf einem Stein. Ja, sogar ein Poltergeist war anwesend!

Um die Pfütze mit den schlaksigen Wassergeistern hatten sich unzählige Regenzwerge versammelt. Im Regen der vorangegangenen Nacht waren sie wie Pilze aus dem Boden geschossen. Auf Wurzeln und Baumstümpfen hockten Wurzelzwerge in großer Zahl mit ihren roten Zwiebelmützen. Die Irrwische hatten ihre Lichter wieder angeknipst und flackerten im Unterholz. Ein paar Wichtelkolonien standen in strammer Haltung aufrecht wie Zinnsoldaten.

Und so weiter und so weiter, endlos könnte ich die Aufzählung fortführen, aber ich möchte Eure Majestät nicht langweilen. In meinen kühnsten Träumen hätte ich mir all die Wesen und Kreaturen, die wir dort zu Gesicht bekamen nicht vorstellen können. Es war beängstigend und gleichzeitig faszinierend, all diese Figuren aus unserer Sagen- und Märchenwelt, und viele unbekannte darüber hinaus, hier leibhaftig versammelt zu sehen.

Unentwegt musste ich an die Ausführungen meines geschätzten Theologielehrers Döllinger bezüglich des Jüngsten Gerichts denken – jetzt ist die Stunde der Wahrheit gekommen! Ich muss Rechenschaft ablegen! So dachte ich bange und zitterte davor für meine Sünden einstehen zu müssen denn, ich war nicht immer ein guter Mensch gewesen.

Mein umherschweifender Blick suchte jedoch noch nach dem Entscheidenden – mir fehlte Gott in seinem Richterstuhl!

Und, verehrte Königin, um es vorweg zu nehmen, ich suchte ihn vergeblich und er tauchte auch nicht auf. Das von den christlichen Kirchen gepredigte Konzept von Schuld und Sühne existiert im Jenseits nicht. Aber kommen wir zurück zur Versammlung.

All diese fremdartigen Wesen bevölkerten also die Waldwiese und musterten uns. Es war totenstill als Klio, die Muse der Geschichtsschreibung das Wort ergriff. Respektlos, wie wir damals noch meinten, sprach sie uns mit ›Wiggerl‹ und ›Loysl‹ an und sagte, dass wir uns nun daran gewöhnen müssten, ganz normale Manen zu sein.

Dann weihte sie uns in unsere neue Existenz ein und machte uns mit den Regeln des überirdischen Daseins vertraut.

Sobald ein menschlicher Körper sein Leben aushaucht und seine Seele in die geistige Existenz übertritt, hat dieser Totengeist, auch Mane genannt, ein Jahr lang Zeit um seine irdischen Verbindungen aufzulösen. Eine Verbindung besteht zu allem was einem GELIEBT UND VERHASST war. Beides ist aufzulösen. Die Verbindung zu einem geliebten Menschen oder einem wunderbaren Ort aufzugeben ist oft von Wehmut begleitet. Aber die Verbindung aufzulösen zu dem was einem verhasst ist, das ist eine große Herausforderung.

Während Klio uns dies erklärte rief Irenäus der Waldschrat dazwischen:

›Da hat der Wiggerl ja a gscheit schwere Aufgabe!‹

Verehrte Königin, Ihr müsst wissen, dass ich mich damals noch fürchterlich ärgerte, wenn mich die Über- und Unterirdischen mit ›Wiggerl‹ ansprachen – in mir stieg sofort eine unbändige Wut hoch über diese unverschämte Respektlosigkeit.

Klio jedenfalls blickte mir daraufhin tief in meine Seele. Sie ist ein wundervolles Wesen, durchdrungen von Liebe. Und, wie soll ich sagen, ich verschmolz dabei nahezu mit ihr, von Licht und Wärme fühlte ich mich durchflutet, ein tiefer Friede breitete sich in mir aus. Als ich nahezu in Glückseligkeit aufgelöst war sprach Klio zu mir: ›Dies ist das Gefühl welches dich erfüllt, wenn du liebst. Nach Irenäus Worten warst du durchdrungen vom Gefühl des Hasses. Entscheide fortan selbst, in welchem Gefühl du dich aufhalten willst. Es liegt an dir, zu lieben oder zu hassen!‹

In diesem Moment gelobte ich, fortan nur noch zu lieben.

Aber es war wie mit einem Vorsatz fürs Neue Jahr. Kaum sind die Feiertage vorbei, schon findet man sich wieder in seinem alten Trott. Es war unvorstellbar schwierig für mich diesen Vorsatz, nur noch zu lieben, einzuhalten. Waren mir doch nahezu der gesamte Hofstaat, die Minister und die ganze Regierung in München aufs äußerste verhasst. Nun sollte ich mit ALLEN Frieden schließen, und mit Hilfe der Traumgeister meine größten Feindschaften in Liebe auflösen. Ja, das war schon von vornherein zum Scheitern verurteilt.

Nachdem ich in den folgenden Wochen und Monaten mit vielen Unter- und Überirdischen Freundschaft schloss, verschlimmerte ich meine Lage sogar noch. Ich habe das Jahr nicht genutzt, um meine irdischen Verbindungen aufzulösen – im Gegenteil. Ich nutzte jede Gelegenheit, um mich an meinen irdischen Gegenspielern zu rächen und ihnen deftige Streiche zu spielen. Gleich am Tag nach der Versammlung sollte ich schon wieder einen Tobsuchtsanfall bekommen.

Es passierte, während ich beobachtete, wie sie meinen Leichnam von Schloss Berg nach München in die Residenz überführten. In einer einfachen Holzkiste haben sie meinen Körper transportiert, kein Zeremonienmeister war anwesend, kein Staatsgeleit, nichts! Ich kochte vor Wut. Doch das Volk säumte schluchzend und jammernd den Weg, und bereitete meinem Leichenzug einen Blumenteppich. Die ehrliche Trauer dieser Menschen berührte mich tief.

In München waren sie dann alle da, diese sogenannten Würdenträger, allesamt Heuchler mit scheinheiligen Reden. Ich konnte es kaum ertragen. Und als ich schließlich erfuhr, dass Baron von Crailsheim, ein Intrigant wie man ihn sich schlimmer nicht vorstellen kann, zu einer Tafel geladen hatte, da schmiedete ich meinen ersten Racheplan.

Verehrte Königin, Ihr müsst wissen, dass man nach dem irdischen Ableben eine Fülle von Kreaturen kennenlernt, von deren Existenz Irdische keine Ahnung haben. Beispielsweise gibt es keinen Gegenstand, der nicht von einem Geist beseelt ist. Wenn Menschen von einem Geist sprechen, dann denken sie an eine Art Schlossgespenst. Aber so sehen diese Geister, von denen ich spreche, nicht aus. Im Übrigen sind Geister und Gespenster nicht einmal miteinander verwandt, trotzdem werden sie oft verwechselt.

Fast alle Geister sind die einer Sache innewohnende Energie – sie sind also gestaltlos, haben keinen Körper und sehen bestenfalls aus wie hingehaucht. Aber es gibt auch welche, wie z.B. die Elementargeister, also Feen, Nymphen, Dryaden und Ähnliche, die eine Gestalt annehmen können.

Jedenfalls gewöhnte ich mich nach den ersten Tagen meines Manen-Daseins an die despektierliche Anrede ›Wiggerl‹ und freundete mich mit vielen Geistern und anderen Wesen an.

Eine ganz besondere Freundschaft schloss ich direkt nach der Versammlung mit einem drolligen Wichtel. Er bot sich an, die Rolle eines Kammerdieners zu übernehmen und ist mir zum treuesten aller Gefährten geworden...«

Die Königin hängt an Ludwigs Lippen und ruft dazwischen:

»Oh verehrter König, ich kann gar nicht genug bekommen von Euren Ausführungen! Tausend Fragen drängen sich mir auf. Aber erzählt doch erst noch von der Versammlung, wie ging es weiter?«

Bevor Ludwig weiter erzählt, bittet er die Königin, ihn doch einfach beim Vornamen zu nennen, da er doch längst seinen Standesdünkel abgelegt hat. Liliuokalani ist einverstanden und besteht darauf, auch von Ludwig beim Vornamen genannt zu werden. Doch Ludwig bricht sich eher die Zunge als das er ›Liliuokalani‹ über die Lippen bringt. Schließlich einigen sie sich darauf, dass Ludwig fortan Lili sagen darf, denn Liliuokalani ist ihm wirklich zu kompliziert.

»Also gut, zurück zur Versammlung. Die Muse Klio thronte majestätisch auf ihrem Stein und sprach mit ihrer anmutenden Stimme, während all die anderen Wesen respektvoll lauschten. Immer wieder wähnte ich mich in einem phantasievollen Traum; all diese sonderbaren Kreaturen; mein Körper hatte sein Leben ausgehaucht; ich konnte schweben; fühlte mich aufgelöst und trotzdem noch so lebendig, – es war schon recht strapaziös, soviel Neues auf einmal.

Von Gudden und ich sollten jedenfalls in den folgenden 365 Tagen (nach Menschenzeit gemessen) all unsere irdischen Verbindungen lösen, so sprach Klio. Diese Zeitspanne wird im Allgemeinen als Bardo bezeichnet. Eine normale Seele schafft das leicht in diesem Zeitraum. Von Gudden brauchte nur ein paar Wochen dazu – aber ich will nicht vorgreifen.

Das Bardo ist also ein Jahr des Loslassens und Abschließens – dann sollte die Seele frei von allen

Verbindungen sein, damit sie in die nächste Existenz übertreten kann.

Viele Kulturen haben eine Ahnung von dieser Zeitspanne. Gibt es doch in Deutschland zum Beispiel das Trauerjahr, in dem die Angehörigen eines Verstorbenen für ein Jahr schwarze Kleidung tragen. In anderen Kulturen wird am Jahrestag nach dem Tod nochmal eine Abschiedszeremonie durchgeführt, in buddhistischen Traditionen kennt man sogar den Begriff ›Bardo‹.

Ein Mane ist für alle Irdischen unsichtbar, wobei er selbst aber die Irdischen sehen und hören kann. Er kann sogar mit Hilfe der Traumgeister Kontakt zu einem Irdischen aufnehmen sofern er noch eine starke Verbindung zu ihm hat. Allein durch seinen Willen kann ein Mane sich rasend schnell über weite Distanzen fortbewegen – solange keine Materie dazwischen ist. Denn, das Durchschreiten von Wänden und Mauern ist den Gespenstern vorbehalten. Alle Über- und Unterirdischen können einen Manen sehen – während er sie nicht alle sehen kann, aber mit den meisten von ihnen kann er in Gedanken kommunizieren.‹

Klios Ausführungen gingen noch eine ganze Weile. Manchmal entfuhr einem der Anwesenden eine Bemerkung oder einer fügte eine Ergänzung an – uns schwirrte der Kopf. Zumal die eben aufgeführten Erklärungen und Richtlinien bei weitem nicht alle waren, die für einen Totengeist von Bedeutung sind. In der Zusammenfassung gibt es für die Bardo-Zeit jedoch zwei wesentliche Richtlinien:

1. Löse deine Verbindungen in Frieden auf.
2. Begehe keine Tat die irgendeiner Existenz oder dir selbst schadet.

Da unterbricht ihn Liliuokalani:

»Aber Ludwig, das kommt mir gar sehr bekannt vor! Der Kahuna nui, den ich als Kind des Öfteren heimlich aufsuchte, erzählte mir von dem alten Gebot unserer Kultur. Ihr müsst wissen, wir hatten im Gegensatz zum Christentum nur ein einziges Gebot für die Menschen und das hieß:

Schade keinem Wesen!

Auch dass es ›Verbindungen‹ geben soll ist mir nicht fremd. In unserer alten Weisheitslehre sprachen die Gelehrten von ›Schnüren‹ den sogenannten ›Aka‹. Wenn der Kahuna nui davon erzählte stellte ich mir als Kind immer ein Seil vor, mit dem man irgendwo festgebunden sei. Dabei war das ja nur bildlich gesprochen.

Unsere Medizinmänner, die Kahuna la'au lapa'au, untersuchten bei einem Kranken stets, ob dieser in unheilvolle ›Aka‹ verstrickt war. Das bedeutete nichts anderes als dass der Kranke unter Umständen eine Verbindung zu einer Person oder Sache eingegangen ist, die ihm nicht gut tut.«

Begeistert entgegnet Ludwig:

»Lili, Eure Kultur scheint ja von großer Weisheit gewesen zu sein! Woher hatten die Gelehrten dieses Wissen?«

»Verehrter Ludwig, diese Frage kann ich Euch leider nicht beantworten. Unsere Urahnen, die aus Tahiti mit kleinen Booten angesegelt kamen, wussten bereits von diesen Dingen. Die alte Kultur wurzelte in einer sehr einfachen aber tiefgründigen Kosmologie. Das Herz dieser Kosmologie ist die Einheit von Natur, Mensch und Gottheit. Für die Gesundheit und das Wohlergehen eines jeden einzelnen der Drei, muss eine gute Beziehung zu den anderen bestehen. Das Leben eines Jeden ist abhängig vom Leben Aller.«

»Lili, wie konnte es denn kommen, dass dieses tief-gründige Wissen vom Glauben des Christentums abgelöst wurde?«

»Ach Ludwig, das ist eine lange und traurige Geschichte, ich will versuchen, sie Euch in ein paar Worten zu erzählen:

Als die ersten Seefahrer unsere Inseln mit ihren großen Schiffen erreichten nannten sie uns Steinzeitmenschen, weil wir kein Metall benutzten. Weil es auf unseren Inseln keine Töpfererde gibt, ging die Fähigkeit unserer polyne-sischen Urahnen Keramik herzustellen verloren. Sie nannten uns primitiv, denn auch die Erfindung des Rades hatte uns noch nicht erreicht. Sie nannten uns Analpha-beten, weil wir weder eine Schrift noch ein Zahlensystem hatten.

Unser gesamtes Wissen wurde Wort für Wort von den Gelehrten mündlich überliefert. Dieser Weisheitsschatz konnte nur an die Intelligentesten weitergegeben werden, da einige der Texte eine wortgetreue Rezitation von bis zu sechzehn Stunden erforderten. So waren unsere Überlie-ferungen nur einem eingeweihten Kreis zugänglich. Die Einwanderer hatten schon allein wegen der Sprache keine Möglichkeit, sich damit vertraut zu machen.

Es war für unsere Leute, die Kanaka maoli, offensichtlich, dass die Fremden von einem Gott begünstigt waren, der mächtiger war als unser eigener Gott ›Akua‹. Meine Vorfahren betrachteten die Fremden nicht als Superwe-sen, aber als Leute, die gesegnet waren mit Material und Technologie. Außerdem schien unser Akua machtlos um unsere Leute vor den eingeschleppten Krankheiten der Zuwanderer zu beschützen, der Gott der Westler schien größeren Schutz zu gewähren.

Über 30 Jahre haben die Kanaka maoli auf den Schiffen der Ausländer gearbeitet. Zurück in Hawaii erzählten diese Seeleute von den mächtigen Nationen in Übersee, für die es allesamt ein leichtes wäre, Hawaii zu erobern. Es war klar, dass die internationale Anerkennung für uns wichtig war.

Um Anerkennung zu erlangen, musste das Königreich vom Westen akzeptiert werden, das bedeutete, Hawaii musste so schnell als möglich verwestlicht werden. Einige der höchsten Anführer hielten es für eine Voraussetzung, den christlichen Gott als Quelle des westlichen Fortschritts anzunehmen.

König Liholiho wurde von seinen westlichen Beratern solange unter Druck gesetzt, bis er schließlich das Kapu-System abgeschafft hat. Seinen Erlass gab er bekannt während einer symbolischen Übertretung des Kapu, indem er zusammen mit Frauen an einem Tisch speiste, denn Männer und Frauen speisten bis dahin getrennt.

Um den neu eingeschlagenen Weg noch weiter zu untermauern, wurde angeordnet sämtliche Standbilder der Gottheiten in unseren Tempeln den ›Heiaus‹, zu zerstören. Diese Standbilder waren nicht nur Kunstwerke feinster Machart, sie waren auch wesentlicher Bestandteil für eine Reihe von Ritualen. Einige hohe Anführer und vor allem die Priester versuchten die Schätze vor der Zerstörung zu retten. So kam es zu einem Gefecht zwischen denen, die das Kapu-System beibehalten wollten, und den Königsanhängern – die berühmte Schlacht von Kuamo'o. Bei dieser blutigen Schlacht wurden zum ersten mal Feuerwaffen auf unseren Inseln eingesetzt. Es war ein schreckliches Gemetzel, bis schließlich die Truppen der Einwanderer siegten.

Die alte Religion wurde dann 1819 offiziell verboten und die größten Gelehrten unserer Kultur fielen den Flammen eines Musketenfeuers zum Opfer.«

Ludwig unterbricht Liliuokalani.

»In der Tat, das ist wirklich eine sehr traurige Geschichte! Aber so sagt, Lili, was verbirgt sich hinter dem Begriff ›Kapu‹?«

»Verzeiht Ludwig, natürlich, das könnt Ihr ja nicht wissen. In die englische Sprache ging das Wort als ›Tapu‹ beziehungsweise ›Taboo‹ ein und wird als Synonym für Verbot benutzt. Bei unseren ›Kapus‹ handelte es sich um ein ganzes Regelwerk an Verboten. Verbote, die allesamt gewährleisten sollten, dass Mana nicht versehentlich verloren geht oder sich von Leuten angeeignet wird, die dazu nicht berechtigt sind.«

»Jetzt verwirrt Ihr mich noch mehr! Was sollte da...?«

»Majestät« unterbricht ihn eine krächzende Stimme. Kimon rüttelt Ludwig am Ärmel und hüpft auf seinen Schoß:

»Man nehme die Sonne und lasse sie über den Horizont treten. Dazu berücksichtige man die Gewohnheit des nächtlichen Schlafs. Man nehme ein erwachtes, irdisches Wesen und lasse es in den Raum treten. Man lasse die Augen des Wesens Majestät streifen – und sie werden sehen!«

Liliuokalani schaut Ludwig erstaunt an, warum hält er inne? Sie kann Kimon weder sehen noch hören.

Ludwig wendet sich Kimon zu:

»Um Gottes Willen, Kimon, sprich doch nicht immer in Rätseln! Willst du damit etwa sagen, dass ich für ALLE Menschen wieder sichtbar bin?«

Liliuokalani ist verdattert. Mit wem spricht Ludwig? Ist noch jemand im Raum? Nach Ludwigs Berichten aus dem Jenseits war sie mehr denn je davon überzeugt, ihren persönlichen Aumakua vor sich zu haben. Für sie stand außer Zweifel, dass Ludwig nur für sie sichtbar ist. Was spricht er da jetzt?

Ludwig selbst hatte sich in den letzten Jahren so an seine unsichtbare Existenz gewöhnt, dass er es niemals für möglich gehalten hätte, je wieder sichtbar zu werden.

»Man nehme den scharfen Verstand Seiner Majestät und gebe ihm Recht.« krächzt der kleine Wichtel.

Oh, Ludwig ärgert sich. Da hätte er doch selbst drauf kommen müssen! Es war ihm eine Last zu stehen und verspürt er nicht seit einiger Zeit einen unbändigen Hunger? Sein Magen knurrt wie der eines Bären nach dem Winterschlaf. In all den Jahren seiner unsichtbaren Zeit verspürte er niemals Hunger. Bestenfalls hat er sich mal von einer herrlich duftenden Speise dazu verleiten lassen ein bisschen dran zu kosten.

Morgengrauen

17.01.1895

Ludwig ist wieder sichtbar!

Die ersten Vögel flattern und kreischen bereits durch die sich verflüchtigende Dunkelheit. Gleich setzt die Dämmerung ein, dann geht es ganz schnell, in wenigen Minuten wird in Honolulu das Dunkel der Nacht zum Tag.

Kimon ist gerade aus dem Fenster auf die Balustrade verschwunden. Ludwig weiß, dass er sich auf ihn verlassen kann, aber es ist ein Wettlauf mit der Zeit. Bald wird jemand erscheinen, um der Königin das Frühstück zu servieren.

Liliuokalani ist besorgt, das Zimmer ist so spärlich möbliert, es gibt kaum einen Schlupfwinkel. Wenn

Colonel Fisher oder ein anderer ihrer Peiniger das Zimmer betritt und Ludwig hier findet – es ist nicht auszudenken!

Kimon klettert behände an einer Säule die Balustrade hinunter und läuft zur Rückseite des Schlosses. Von dort führt eine Treppe in den Keller zur Küche. Das ist der Ort in einem Schloss, an dem sich die meisten Geistwesen tummeln.

Am Fuße der Treppe angekommen lauscht er. Es scheinen noch alle zu schlafen. Zu seiner Rechten sieht er einen schwachen Lichtschein. Eilig springt er dem flackernden Licht entgegen – er hat eine Feuerstelle gefunden. Hier muss die Küche sein. Vorsichtig betritt er einen langgezogenen Raum mit mehreren Kochstellen. An einer Herdstelle flackert noch ein kleines Feuer in seinen letzten Zügen. Der Feuergeist schaufelt grade gierig die letzten Stückchen Holzkohle zusammen und schiebt sie in sein unersättliches Maul.

Kimon bedauert nicht ein bisschen früher gekommen zu sein – mit einem hungrigen Feuergeist ist nicht gut Kirschen essen. Leise will er sich wieder hinausschleichen, aber der Feuergeist hat ihn schon entdeckt.

»Fremder, was hast du hier zu suchen? Willst du mir etwa meine letzte Glut streitig machen? Scher dich zum Teufel oder ich fresse dich mit Haut und Haaren auf!«

Das lässt sich Kimon nicht zweimal sagen. Schleunigst macht er kehrt und springt zurück auf den Flur.

Nach ein paar Schritten findet er eine Gruppe schlafender Weingeister. Kreuz und quer lümmeln sie gepaart mit ihren Duftgeistern in einer Ecke. Sanft rüttelt er einen Weingeist an der Schulter – aber Kimon kann es schon riechen, sanftes Rütteln ist zwecklos. Die Duftgeister haben eine penetrante Ausdünstung! Es hätte ihn auch gewundert wenn sich in diesem Winkel der Erde Weingeister besser beherrschen könnten als Zuhause. Sie saufen immer bis zum Umfallen. Vermutlich haben sie die ganze letzte Nacht gezecht.

Am leichtesten könnte man sie mit Wasser zum Leben erwecken, aber ihm fehlt die Zeit jetzt, erstens einen Behälter und zweitens Wasser zu suchen.

Schließlich schreit er einem Weingeist ins Ohr:

»Weinfass geöffnet!«

Der dazugehörige Duftgeist sondert eine gehörige Alkoholwolke ab und stöhnt auf:

»Nein, bitte nicht schon wieder.«

Woraufhin sich jetzt auch der geweckte Weingeist räkelt.

Schlaftrunken reibt er sich die Augen und gurgelt:

»Weinfass! Wo?«

Jetzt rüttelt ihn Kimon kräftig an der Schulter:

»Hey du, aufwachen, eure Königin ist in Gefahr, sie braucht Hilfe! Wo finde ich in eurem Land die Elfen?«

Der Weingeist verdreht die Augen und sackt wieder in sich zusammen; aber sein Duftgeist scheint jetzt halbwegs bei Sinnen zu sein, denn der lallt:

»Elefen, hicks, was is das?«

Kimon ruft verzweifelt:

»Oh nein! Sag bloß hier gibt es keine Elfen? Alben; Lichtwesen; Nachkommen des Fruchtbarkeitsgottes Freyer; aus Asgard! Verstehst du?«

»Kenn hicks nich, meist du die Mo'o vom hicks Fischweiher?«

Die Mo'o wiederum kennt Kimon nicht. Aber Fischweiher klingt gut. Dort tummeln sich bestimmt ein paar Feen, und die wissen immer wo Elfen zu finden sind – wenn sie nicht sowieso zusammenstecken. Also schwindelt er:

»Ja, ja die Mo'o, wie komm ich zum Fischweiher?«

»Am hicks vorbei, vor dem großen hicks Ügel.« Lallt der Duftgeist mit großer Anstrengung.

»Wo vorbei?!«

»Wash-hicks-ton Place!« murmelt der Duftgeist noch, dann sackt er wieder über seinem Weingeist zusammen.

Letzte Nacht, während Ludwig der Königin aus seinem Manen-Dasein berichtete, stromerte Kimon schon ein bisschen herum. Der Duftgeist meint vermutlich den Washington Palace, der ist grade mal zwei Steinwürfe landeinwärts vom Schloss entfernt. Flugs verlässt er den Keller und rennt los.

Auf dem Weg zum Washington Palace stolpert er beinahe über einen Erdgeist. Den will er nach dem Weg zum Fischweiher fragen, aber der Unglückliche windet sich vor Ekel am Straßenrand. Das kommt Kimon bekannt vor, in ihm regt sich Mitleid:

»Du Armer, hast du etwa versehentlich einen...«

Der Erdgeist unterbricht ihn gequält:

»Iiiiiiiihhhh, nicht aussprechen, iiiiiiihhhh bitte dieses Wort nicht aussprechen iiiiihhhhh, ja, grade eben, iiiiihhhh, ich hab iiihn in der Dunkelheit nicht gesehen iiiihhhh.«

»Soll ich dir ein bisschen Erde nachstopfen zum Neutralisieren?« fragt Kimon.

»Ja, das wäre sehr freundlich, aber bitte schau genau, ob nicht ein iiiiiiihhhhh....«

Er bringt den Satz nicht zu Ende, schon wieder hat ihn der Ekel gepackt. Er windet und schüttelt sich und stöhnt immerfort iiiiiihhhh.

Geschwind nimmt Kimon ein paar Handvoll Erde, durchsucht sie sorgfältig, ob auch wirklich kein Wurm drin ist und stopft sie dem Armen in den Schlund. Der Erdgeist beruhigt sich etwas, endlich wirkt er nicht mehr so gequält. Jetzt kann Kimon seine Frage loswerden:

»Kannst du mir bitte sagen wie ich zum Fischweiher komme, ich suche Elfen?«

»Ja, der Fischweiher ist da vorne, hinter der nächsten Biegung, noch bevor du den Hügel erreichst. Aber was suchst du dort?«

Kimon ist schon verschwunden, er hat es eilig. Gerade krähte irgendwo ein Hahn. Lange kann es nicht mehr dauern bis die Sonne aufgeht.

Abgehetzt und verschwitzt kommt er am Fischweiher an. Während in Deutschland jetzt die Schneestürme toben, fällt auf Hawaii das Thermometer auch nachts selten unter 25°C. Schweiß treibt aus seinen Poren. Er hört nur seinen eigenen Atem, ansonsten umgibt ihn Totenstille.

Der Weiher liegt am Waldrand. Dahinter erhebt sich ein mächtiger Hügel. Die Bäume werfen ihre schwarzen Schatten auf die spiegelglatte Oberfläche des Wassers. Es regt sich kein Lüftchen.

Ein idealer Platz für Feen, aber er kann keinen einzigen Feenring finden. Nicht die geringste Spur, dass es hier Feen oder andere Überirdische gibt! Er ist ratlos. Wäre er doch auf die Frage des Erdgeistes eingegangen, vielleicht hätte der ihm einen Tipp geben können?

Kurz will er sich im Wasser abkühlen und dann zurück zum Erdgeist laufen. Doch gerade als er in den Weiher steigen will taucht vor ihm der Kopf einer Schildkröte aus dem Wasser auf. Ihm ist als würde die Schildkröte ihn anstarren. Aber das ist völlig unmöglich – für Tiere ist er unsichtbar! Er geht ein paar Schritte zur Seite. Die Schildkröte geht ebenfalls zur Seite und versperrt erneut seinen Weg!

»Hallo Schildkröte. Sag mal, kannst du mich sehen?«

»Aber sicher kann ich dich sehen, ich kann dich sogar riechen! Du wirst es doch nicht wagen, in diesem verschwitzten Zustand die Reinheit unseres Weihers zu beschmutzen?«

»Ach du Schreck« entfährt es Kimon. »Eine überirdische Schildkröte!«

Kimon muss sich sammeln. Was geht hier vor? Weit und breit kein Anzeichen von irgendeiner überirdischen Seele – und plötzlich taucht diese bedrohliche Schildkröte auf. Sie kann ihn sehen, obendrein sprechen und erdreistet sich ihm sein Bad zu verweigern! Vermutlich gehört sie einem mächtigen Geisterverband an? Vielleicht sollte er nicht darauf bestehen sein Bad zu nehmen? Vielleicht sollte er schnellstens verschwinden? Oder vielleicht könnte sie ihm helfen eine Elfe zu finden? Vorsichtig weicht er ein paar Schritte zurück.

»Verehrte Schildkröte, ich bin untröstlich, dich gestört zu haben. Ich bin ein Fremder in diesem Land. Zutiefst bedauere ich, mich mit den örtlichen Gepflogenheiten nicht ausreichend vertraut gemacht zu haben. Könnt ihr Vergebung walten lassen?«

»Fremder, ich kann nicht nur sehen und sprechen, ich kann auch Gedanken erfühlen – also schleime nicht so rum! Woher kommst du? Was willst du?«

Wie peinlich! Nur die mächtigsten Geistwesen können Gedanken erfühlen – Kimon ist ganz betreten. Vermutlich handelt es sich bei der Schildkröte um einen Wassergeist, die können als Echse, Schildkröte oder ein sich kämmendes Mädchen im Wasser erscheinen.

Er entschuldigt sich jetzt aufrichtig. Dann erzählt er eilends von der verhafteten Königin und wie es dazu kam, dass er mit dem Bayern-König in ihrem Gemach erschienen ist. Jetzt muss er schnellstens eine Elfe finden, die ihm für den sichtbaren Ludwig eine Tarnkappe leiht. Als er mit seiner Erzählung fertig ist sieht er, dass die Schildkröte ihre Augen geschlossen hat. In seiner Aufregung beim Erzählen bemerkte er anscheinend nicht, dass sie eingeschlafen war.

Zwischen Himmel und Horizont schiebt sich bereits ein schmaler Lichtstreifen.

Liliuokalani begab sich gerade ins Badezimmer. Ludwig kann seinen knurrenden Magen kaum mehr bändigen. Was gäbe er für eine Kante trocken Brot! Er sitzt noch immer auf dem Palaver Stuhl. Von seinem Platz aus kann er durch die geöffnete Türe in den Wohnraum der eingesperrten Königin blicken. Schemenhaft hebt sich das spärliche Mobiliar von der weißen Wand ab. Obwohl alle Fenster mit Rattan Rollos abgedunkelt sind, zeichnen sich die Möbelstücke immer deutlicher ab. Es wird hell draußen!

Wo bleibt Kimon? Wenn der Wichtel nicht bald mit einer Tarnkappe zurück kommt ist Ludwig verloren! Obwohl er heute zufällig seinen Hermelinmantel trägt, würde ihm trotzdem kein Mensch glauben, dass er der Bayern-König ist. Entweder würden sie ihn in ein Irrenhaus stecken oder ihn gleich als Monarchie-treuen Verräter erschießen. Wahrscheinlich würde er vorher nicht mal mehr eine ordentliche Mahlzeit bekommen. Oh, wenn nur dieser Hunger nicht wäre!

Er hält mit beiden Händen seinen knurrenden Magen. Dabei bemerkt er, dass seine riesigen Manteltaschen ziemlich vollgestopft sind.

Herje, wieder mal hat sich eine halbe Kolonie Wichtel einquartiert! Wie oft hat er Kimon schon gesagt, sie sollen sich einen anderen Platz zum Schlafen suchen. Sie beulen die Taschen aus und ruinieren damit den schönen Mantel! Zum Glück schlafen sie noch. Vorsichtig nimmt er seine Hände vom Bauch. Hoffentlich wachen sie nicht auf bevor Kimon zurückkommt! Diese Wichtel sind wie Ameisen, sobald sie wach sind rennen sie unentwegt hin und her – ganz schwindelig wird einem davon. Ihm ist es unmöglich sie zu bändigen; einen Sack voll Flöhe zu hüten ist leichter. Nur Kimon kann sie in Schach halten – wenn der nur endlich mit der Tarnkappe kommen würde!

Ludwig schreckt hoch. Der Holzfußboden knarrt. Schritte! Es sind Schritte außer der Reihe. Sie gehören nicht zu dem immerwährenden gleichmäßigen klack, klack, klack der patrouillierenden Soldaten. Der König versteckt sich eilends hinter dem Türflügel des Erkerzimmers.

Am liebsten würde Kimon die Schildkröte wecken – aber so mutig ist er nicht. Er weiß immer noch nicht zu welcher Geisterfamilie sie gehört. Schließlich beschließt er zum Erdgeist zurück zu laufen. Da hebt sich langsam das rechte Augenlid der Schildkröte. Einäugig schaut sie auf Kimon herab. Dann sagt sie bedächtig:
»Ja.«
Kimon ist ganz ungeduldig, was meint sie mit ›Ja‹? Aber er traut sich nicht, den vermeintlichen Wassergeist zu drängen. Langsam öffnet sie nun auch ihr zweites Auge.
»Jetzt war deine Rede wahrhaftig, so will ich mich dir vorstellen – Ja, du hast Recht. Ich bin aus der Familie der Wassergeister. Meine Name ist Sano, ich bin ein Mo'o. Auf Hawaii bewachen wir Mo'o seit Urzeiten die Unantastbarkeit der Fischweiher.
Als Zeichen des Respekts hat sich früher jeder Besucher eines Weihers gewaschen bevor er ins Wasser stieg. Bis die weißen Siedler kamen, wagte es kein Wesen in unseren Gewässern ungereinigt ein Bad zu nehmen. Die Kanaka Maoli (Ureinwohner Hawaiis) haben in großem Respekt und Einklang mit allen Wesen gelebt. Das hat sich geändert, seit die ersten Fremden hier aufgetaucht sind.
Mittlerweile haben sich die meisten Naturgeister in die Berge zurückgezogen. Eine Elfe habe ich schon lange nicht mehr gesehen.«
Sano schließt wieder ihre Augen. Verzweifelt starrt Kimon sie an – eine Gegend ohne Elfen – unvorstellbar!

Wie soll er jetzt noch rechtzeitig an eine Tarnkappe kommen?

»Kimon, lass mich nachdenken; Du sagst dein König ist ein Mane; er hat seine Bardo-Zeit vertrödelt; jetzt lebt er in der Bannung; über eine Energiebrücke ist er entwichen und seit ein paar Stunden wieder unter den Irdischen – wir haben hier natürlich andere Worte für diese Seins-Zustände... Aber ich verstehe wovon du sprichst. Vielleicht fällt mir was ein?«

Dann wendet sie sich bedächtig um, geht zurück ins Wasser und taucht lautlos ab.

Die Königin, die von ihrer Morgentoilette zurückkommt schaut sich suchend um. War das alles nur ein Traum? Wo ist Ludwig? Trotz der verdunkelten Fenster dringt mittlerweile genug Tageslicht in den Raum, um zu sehen, dass Zimmer und Erker leer sind. Leise ruft sie:

»Ludwig! – Ludwig, seid ihr hier?«

Ludwig kommt erleichtert aus seinem Versteck.

»Oh Lili, habt ihr mich erschreckt. Ich hörte Schritte und dachte einer eurer Peiniger kommt um das Frühstück zu servieren.«

In dem Moment klopft es an der Zwischentür. Die beiden erstarren vor Schreck. Nach einer endlosen Sekunde flüstert Liliuokalani:

»Schnell! Geht wieder hinter die Flügeltüre.«

Es klopft erneut, diesmal heftiger. Dann ist Mrs. Clark in besorgtem Tonfall zu hören:

»Majestät! Ich hörte Stimmen? Seid ihr wohlauf? Darf ich eintreten?«

Die Königin antwortet rasch:

»Ach treue Mrs. Clark, habt vielen Dank für Eure Sorge. Ich war ins Gebet vertieft, vermutlich habe ich laut gesprochen. Es ist alles in Ordnung, gebt mir noch ein paar Momente der Besinnung. Ich würde mich freuen, später mit Ihnen das Frühstück einzunehmen.«

Kimon steht am Ufer des Fischweihers und wartet. Gerne würde er sich in dem verlockenden Nass abkühlen, aber er traut sich nicht ungereinigt ins Wasser zu steigen. Suchend schaut er sich nach einer Waschmöglichkeit um. Ein paar Schritte weiter nördlich am Ufer sieht er Aronstabgewächse. Die Blätter dieser Rhabarber ähnlichen Pflanze sind so groß, dass sich bei Regen locker fünfzig Wichtel unterstellen könnten. In der letzten Nacht haben sich auf den riesenhaften Blättern dicke Tautropfen gesammelt.

Fluchs springt er zu den Pflanzen hinüber und klettert an einem Stiel hoch auf ein Blatt. Ein tiefer Atemzug und schon hat er seinen Kopf in einen der riesigen Tautropfen gesteckt. Irenäus, der Waldschrat vom Schloss Berg, hat ihm beigebracht die eingesogene Luft, sofort nachdem der Kopf in den Tautropfen eingedrungen ist, auszupusten. Wenn man das richtig macht, platzt der Tropfen und das Wasser ergießt sich einem über den ganzen Körper. Das ist ein Spaß! Irenäus hätte hier seine Freude – findet man doch in ganz Bayern keine so riesigen Morgentautropfen.

Und wie herrlich sich die glutrote Sonne in den Wassertropfen spiegelt.

Ach du lieber Himmel! Vor lauter Freude über das Tautropfenpusten hat er vergessen, warum er hier ist. Hektisch hält er Ausschau nach Sano. Da hört er dicht neben seinem Blatt ein leises Hüsteln.

»Hier bin ich. Ich wollte dich gerade bei deinem Morgenbad unterbrechen. Bedauerlicherweise kann ich dir nicht... – Nein; Moment mal! Du hast die Lösung ja fast selbst gefunden!«

»Oh Sano, die Sonne ist schon aufgegangen, ich muss mich beeilen! Von was für einer Lösung sprichst du?«

»Du sitzt auf einem Taro-Blatt. Taro ist auf Hawaii ein Grundnahrungsmittel, also die wichtigste Pflanze zum Essen. Es gibt hier noch eine weitere wichtige Pflanze, die Ti-Pflanze, sie ist die wichtigste Pflanze für Rituale und spirituelle Zeremonien – mit der funktioniert es!«

Die Schildkröte schließt erneut ihre Augen und zieht den Kopf ein, als müsste sie nachdenken.

»Wie meinst du das; mit der funktioniert es? Willst du ein Ritual machen, um damit eine Elfe herbei zu locken?«

Der Wichtel ist entsetzt, das würde ja viel zu lange dauern!

Sanos Kopf schiebt sich wieder unter dem Panzer hervor.

»Kimon, geh zurück zum Schloss. Im Schlossgarten findest du in allen vier Himmelsrichtungen Ti-Pflanzen. Du brauchst aus jeder Himmelsrichtung ein Blatt. Die vier Blätter bringst du zu den Kochgeistern in die Schlossküche, sie sollen in einem Ike-Wasser-Ritual die Blätter mit Mana aufladen. Die Blätter werden geschmeidig und biegsam, du kannst dann aus den vier Blättern einen Kranz flechten. Sobald sich der König diesen Kranz aufgesetzt hat, möchte er sich nach allen vier Himmelsrichtungen verneigen und jeweils einen tiefen Atemzug nehmen, dann wird er unsichtbar. Aber bedenke, die Blätter verlieren mit der Zeit ihre Kraft!«

»Ehm, Sano, ich glaub, das kann ich mir nicht alles merken, von welcher Pflanze soll ich Blätter abreißen, wie heißt das Ritual?«

»Oh Kimon, sind alle die aus Übersee kommen Rohlinge? Selbst die Überirdischen? Natürlich musst du die Ti-Pflanze erst um Erlaubnis bitten, ob du ein Blatt von ihr pflücken darfst. Ist sie einverstanden, wird sie dir sachte mit einem Blatt zuwinken, dieses kannst du dann vorsichtig pflücken.«

Oje, denkt sich Kimon, das wird ja immer komplizierter! Die scheinen hier alle recht höflich miteinander umzugehen. Bei uns sind nur die Waldschrate so Blattbewusst...

»Ehm, tut mir leid, bei uns gibt's irgendwie nicht so viele Anstandsregeln. Gut, dass du's mir gesagt hast, jetzt weiß ich sie freundlich zu behandeln. Bloß, kannst du mir bitte noch sagen wie Ti-Pflanzen aussehen?«

»Kennst du vielleicht ihren lateinischen Namen: Cordyline Terminalis?«

»Ja klar!« ruft er freudestrahlend.

»Keulenlilien heißen die bei uns; sehr empfindsame Wesen!«

Kimon springt von seinem Blatt aus direkt der Schildkröte um den Hals und gibt ihr einen dicken Schmatz auf die Backe.

»Hab tausend Dank für deine Hilfe!« ruft er ihr noch zu, während er schon wegrennt.

»Ist schon gut.« murmelt die verdutzte Sano und schaut ihm hinterher, bis er um die nächste Biegung verschwunden ist.

Kimon rennt so schnell er kann zum Schloss zurück. Mittlerweile tummeln sich Arbeiter, Geschäftsleute, herrschaftliche Kutschen und Bettler auf dem Weg. Die ersten Händler schieben ihre Handkarren mit Obst und Gemüse zum Markt.

Colonel Fisher und Mr. Wilson betreten den Raum der Königin. Gerade noch rechtzeitig kann sich Ludwig hinter der Flügeltüre im Erker verstecken.

Kühl begrüßen die beiden Herren die Königin. Sachlich teilen sie ihr mit, dass ihrem Wunsch gemäß bereits das Mittagessen vom Washington Palace zubereitet wird, das Frühstück komme noch aus der Schlossküche und werde in wenigen Minuten serviert.

Colonel Fisher hat die Angewohnheit beim Reden immer auf und ab zu gehen. Als er geradewegs auf das

Erkerzimmer zu marschiert, schiebt sich die Königin vor die offene Türe und versperrt ihm den Weg. Ihre Knie zittern. Hoffentlich besteht er nicht darauf hineinzugehen, spätestens wenn er kehrt machen würde, könnte er Ludwig hinter der Türe sehen.

Während der Colonel spricht und ruhelos den Raum abschreitet steht Mr. Wilson in aufrechter Haltung neben dem Sofa. Fisher übermittelt beim Auf-und-ab-Gehen mit teilnahmsloser Stimme schreckliche Nachrichten.

Mittlerweile sind etwa zweihundert Menschen, allesamt Vertraute und Angestellte der Königin, auf Polizeistationen geschleppt worden. Die meisten davon wurden bereits verhört und ins Gefängnis gesteckt. Darunter ist auch ihr engster Vertrauter und Chef Verwalter Mr. Joseph Helehule.

Zweihundert unschuldige Leute sind verhaftet! Der Königin schnürt es die Kehle zu, nur mit aller Kraft gelingt es ihr Haltung zu bewahren.

Da Mr. Wilson einst eine Verwaltungsposition auf den königlichen Ländereien inne hatte und gut vertraut ist mit den königlichen Besitztümern, soll nun Liliuokalani ihre Einwilligung geben, dass er jetzt Mr. Heleluhes Aufgaben übernimmt. Sie hat gar keine andere Wahl, als sich mit dem Vorschlag einverstanden zu erklären – alle, die dieser Aufgabe gerecht werden könnten und zu denen sie Vertrauen hat, sind verhaftet!

Liliuokalani versucht erst gar nicht einen Ton hervor zu bringen, ihre Stimme würde versagen. So nickt sie nur lautlos um zu signalisieren, dass sie verstanden habe.

Plötzlich bleibt der Colonel vor der Königin stehen und fährt sie unfreundlich an:

»Warum sind eigentlich Ihre Läden noch nicht geöffnet? In diesem Dämmerlicht kann ich Sie ja kaum sehen. Mr. Wilson so öffnen sie doch die Jalousien.«

Mr. Wilson schickt sich an, die Läden im Zimmer hoch zurollen. Nachdem er schon den zweiten geöffnet hat und gleich zum Erkerzimmer kommt, entfährt es der Königin geistesgegenwärtig:

»Ihr habt mich just bei meinem Morgengebet unterbrochen, lasst mir den Erker im Zwielicht, es ist meiner Hingabe dienlich. Mrs. Clark wird sich nachher darum kümmern. Und da ich die Unglückliche grade erwähne, ich möchte sie gerne entlassen, sie soll zu ihren Kindern.«

Der Colonel beginnt wieder auf und ab zu gehen, während Mr. Wilson stehen bleibt. Es scheint als hätten die beiden nun genug Licht; und Liliuokalanis Wunsch Mrs. Clark zu entlassen brachte sie auf andere Gedanken.

Die zwei beraten sich flüsternd, dann teilen sie der Königin mit, dass Mrs. Clark nach dem Frühstück nach Hause gehen könne, anstatt dessen soll Mrs. Wilson ab dem Nachmittag als Begleitdame zur Verfügung stehen. Mr. Wilson wird sich ab sofort im Schloss aufhalten, um die Königin bei ihren privaten und geschäftlichen Belangen zu vertreten.

Damit ist alles gesagt und die beiden schicken sich an, das Zimmer zu verlassen. Gerade als der Colonel den Türknauf öffnen möchte hören sie, wie jemand an eine Scheibe klopft.

Misstrauisch schauen sich die beiden um.

Kimon erreicht atemlos das Schloss. Geschwind klettert er an einer Säule hoch auf die Balustrade. Zwei Soldaten patrouillieren auf dem Balkon, der im ersten Stock über drei Seiten um das Schloss läuft. Das Fenster, über das der Wichtel vor geraumer Zeit das Schloss verlassen hat, ist versperrt. Liliuokalani verschloss es wieder nachdem er davon gebraust war.

Kimon hüpft von einem Erkerfenster zum anderen, aber er findet sie alle verschlossen und die Rollos sind noch heruntergelassen. Er versucht durch die Ritzen der Rollläden in den Raum zu spähen, aber drinnen ist es zu dunkel, er kann nichts erkennen. Ratlos hält er auf einem Fenstersims sitzend inne. Wie kann er jetzt zu Ludwig kommen, und viel wichtiger: zu den anderen Wichteln? Seine Idee war, zehn Wichtel in jede Himmelsrichtung loszuschicken, um die Ti-Blätter zu holen, das würde die Sache beschleunigen. Er alleine kann so ein Blatt kaum schleppen. Plötzlich klopft es von innen an die Scheibe.

Ludwig steht in dem kleinen Raum versteckt hinter der Türe. Er traut sich kaum zu atmen. Seit Colonel Fisher und Mr. Wilson das Gemach der Königin betreten haben verspürt Ludwig wieder Zorn – wie zu seinen Lebzeiten. Wie kann es dieser Colonel nur wagen, das schamlose Treiben dieser Umstürzler der armen Lili in so groben Worten ins Gesicht zu schleudern. Es erinnerte ihn allzu sehr an seine eigene Regierungszeit, in der er von machtgierigen Intriganten umgeben war, die ihn schließlich gestürzt haben. Er bebt vor Zorn. Er ist kurz davor einen seiner gefürchteten Wutausbrüche zu bekommen, als es plötzlich in seinen Taschen zu rumoren beginnt.

Oh nein, diese Plagegeister! Denkt er sich noch, als auch schon die ersten aus seinen Taschen klettern. Natürlich sind Wichtel keine Plagegeister, aber er nennt sie oft so, weil er ihnen einfach nicht Herr wird. Jetzt kann er ihnen nicht einmal den Befehl geben, in einer Ecke zu warten bis ihr Anführer wieder kommt. Er befürchtet nämlich, dass er von Irdischen nicht nur gesehen sondern auch gehört werden kann. Wo bleibt nur Kimon? Verzweifelt sucht sein Blick die Fenster ab. Da, er zuckt zusammen, vor einem Fenster kann er im Gegenlicht Kimons Silhouette sitzend auf dem Fenstersims sehen.

Die Wichtel turnen und klettern an ihm herum. Wie die Ameisen haben sie sich schon im Raum verteilt. Unter normalen Umständen hätte Ludwig die Wichtel längst von sich abgeschüttelt, aber er hat Sorge, dass man das Rascheln seines Mantels hören könnte. So lässt er wohl oder übel alles über sich ergehen. Da rutscht ihm ein Wichtel über die Schulter den Ärmel hinunter und ruft:

»Wo ist denn dem Wiggerl sein Liebling?« und dabei springt er ihm auf den Kragen.

Ludwig ist versucht den Kerl zu verscheuchen aber er traut sich nicht zu mucksen. Still deutet er auf Kimons Silhouette hinter dem Rollladen. Und während er noch zum Fenster zeigt, ist ihm schon klar, dass er einen Fehler gemacht hat. Denn ehe er noch seinen Zeigefinger auf den Mund legen kann ist der eifrige Wichtel schon zum Fenster gesprungen, hat sich zwischen Rollladen und Scheibe geschoben, klopft von innen ans Fenster und winkt Kimon freudestrahlend zu.

Fast gleichzeitig klopft es auch an der Zwischentüre aus Mrs. Clarks Zimmer und an der Eingangstüre.

Die Königin geht mit weichen Knien zur Zwischentüre um Mrs. Clark zu öffnen und wendet sich dabei an die beiden Herren:

»Was ist? Wollen Sie nicht öffnen, es hat auch aus der Eingangshalle geklopft, vielleicht will man das Frühstück servieren?«

Hätten die beiden Herren die Königin besser gekannt, hätten sie jetzt deutlich den zitternden Unterton in ihrer Stimme vernommen.

Der Colonel wendet sich um und öffnet nun die Eingangstüre, tatsächlich steht ein Diener mit dem

Frühstück davor. Er bittet ihn herein und schaut Wilson verdutzt an:

»Mir war als hätte es am Fenster geklopft?«

Wilson hatte im ersten Moment auch das Gefühl, ein Klopfen am Fenster gehört zu haben. Aber wahrscheinlich hatten sie sich getäuscht. Vorsichtshalber rufen sie die beiden patrouillierenden Soldaten von der Balustrade und befragen sie, ob ihnen draußen etwas Ungewöhnliches aufgefallen wäre. Als die Soldaten beteuern, dass um das Zimmer der Königin herum ganz gewiss niemand sei, verlassen die beiden den Raum und vergessen den Vorfall.

Den eingetretenen Diener weist die Königin an, das Tablett mit dem Frühstück auf dem Tisch neben dem Sofa abzustellen, dann entlässt sie ihn. Nun bittet sie Mrs. Clark, sich um das Tablett zu kümmern. Sie selbst geht zum Erkerzimmer und will die Türe schließen.

Mittlerweile ist der Duft des frisch zubereiteten Frühstücks bis zu Ludwig vorgedrungen. Just in dem Moment als Liliuokalani die Türe zumachen will knurrt Ludwigs Magen wie Donnergrollen. Mrs. Clark schaut entsetzt auf. Geistesgegenwärtig legt sich die Königin ihre Hände auf den Bauch:

»Mir scheint, mein Magen verlangt nach dem Frühstück.«

Eiligst schließt sie die beiden Türen zum Erker. Mrs. Clark gibt sich mit der Erklärung zufrieden und wendet sich wieder dem Frühstück zu, welches sie vom Tablett nimmt und auf den Tisch stellt. Erleichtert atmet Liliuokalani auf, das ist gerade nochmal gut gegangen. Ganz flau ist ihr im Magen, wahrscheinlich wird sie keinen Bissen hinunter bringen.

Auch Ludwig atmet auf nachdem die Türe verschlossen ist. So, jetzt muss ich nur noch schnell das Fenster öffnen und von Kimon die Tarnkappe entgegen nehmen, dann ist alles gut – so denkt er. Vorsichtig, um ja kein Geräusch zu machen, zieht er den Rollladen hoch und öffnet das Fenster einen Spalt breit. Gleich schlüpft Kimon durch die Lücke.

»Majestät, man nehme ein fremdes Land, übersähe es mit Rohlingen, die Elfen sind vertrieben, mit Tarnkappen weggezogen, Kimon ist verzweifelt. Man nehme einen Fischteich finde einen Mo'o und suche eine andere Lösung. Man nehme Ti-Blätter, vier Himmelsrichtungen, die Kochgeister, einmal Wasser mit Regal und die Lösung ist ein Kranz!«

»Ach Kimon!« flüstert Ludwig erbost »ich versteh kein Wort! Soll das etwa heißen, du hast keine Tarnkappe auftreiben können?«

»Majestät, untröstlich ist Kimon, doch Lösung kommt bald schon. Wichtelkolonie muss mitkommen, in den Garten ganz geschwind, bringen eiligst Blätter herbei, in der Küche dann der Brei. Kranz kommt schnell zurück zu Königs Glück!«

Dann stößt er einen schrillen Pfiff aus und springt wieder aus dem Fenster, die anderen Wichtel hüpfen ihm auf dieses Kommando hin alle hinterher. In jede Himmelsrichtung schickt er zehn Wichtel um von einer Keulenlilie ein Blatt zu hohlen. Er bläut ihnen ein, die jeweilige Pflanze höflich um Erlaubnis zu bitten, das winkende Blatt sorgfältig zu pflücken, sich anständig zu bedanken und dann schnellstens mit dem Blatt zur rückwärtigen Treppe, die hinab zur Küche führt, zu kommen. Mit den übrigen Wichteln läuft er direkt zum Treppenabgang.

Von unten kommt ihnen ein Schlossgeist entgegen, der ihnen einen abfälligen Blick zu wirft. Der Schlossgeist scheint sauer zu sein, wahrscheinlich wurde er gerade von den Kochgeistern aus der Küche vertrieben.

Kimon wählt ein paar von seinen Leuten aus, mit denen er zur Küche runterhüpft, die anderen sollten oben an der Treppe warten. Er hofft, dass der Feuergeist mittlerweile wieder was zum Futtern bekommen hat. Am Feuergeist müssen sie nämlich vorbei, um in den Raum zu gelangen, in dem die Speisen zubereitet werden. Dort sollten sich jetzt die Kochgeister aufhalten.

Vom Flur aus kann er schon sehen, dass an der langen Feuerstelle jetzt drei muntere Feuer lodern – da kommen sie ohne Gefahr vorbei, alle drei Feuergeister sind mit beiden Händen beschäftigt, sich Holz in den Schlund zu schaufeln. In einer Ecke steht ein großer Wasserbottich, auf dem Rand sitzt ein gelangweilter Wassergeist, der mit seinen Füßen im Wasser planscht.

In der Küche schaut sich Kimon suchend um? Ein paar Menschen sitzen um einen Tisch herum und nehmen grade ihr Frühstück ein. Kupferkessel in den verschiedensten Größen hängen von den Wänden herab.

Da, auf einer großen Arbeitsfläche sitzen die Kochgeister zusammen, das Frühstück ist fertig, sie haben nichts mehr zu tun und diskutieren über die eben zubereiteten Speisen. Einer besteht darauf, dass es weniger Zucker hätte sein dürfen, ein anderer meint, dass man die Pfanne etwas länger auf der Feuerstelle hätte lassen müssen... Gefolgt von seinen Wichteln tritt Kimon an sie heran und räuspert sich:

»Verzeihung verehrte Kochgeister, darf ich mich vorstellen?«

Sie schauen ihn ein bisschen pikiert an, sie fühlen sich von dem Fremden gestört.

Kimon wartet nicht ab, bis einer das Wort ergreift. Er berichtet ihnen sofort was in der letzten Nacht geschehen ist und bittet sie um Hilfe.

Die Kochgeister stecken ihre Köpfe zusammen und tuscheln miteinander. Dann sagt einer:

»Wenn dich Sano schickt, so werden wir dir helfen. Sage uns, was wir für dich tun können?«

»Gleich werden ein paar von meinen Wichteln aus allen vier Himmelsrichtungen Ti-Blätter herbei bringen, könnt ihr die bitte mit einem Ikea-Regal im Wasser für einen Manen aufladen?«

Die Kochgeister schauen sich fragend an. Was will der Fremde da? Von Ikea-Regal und Manen haben sie noch nie etwas gehört. Kimon ist verzweifelt, er kann sich beim besten Willen nicht mehr daran erinnern, was Sano genau gesagt hat.

Die Kochgeister stecken wieder ihre Köpfe zusammen und debattieren heftig, was damit wohl gemeint sei. Plötzlich gurgelt es aus dem Wasserbottich in der Ecke:

»Warum fragt eigentlich mich keiner? Der Fremde meint sicherlich ein Ike-Wasser-Ritual um die Blätter mit Mana aufzuladen.«

»Ja, richtig!«, ruft Kimon aus und dreht sich zu dem plantschenden Wassergeist um.

»Entschuldige, da hätte ich ja gleich drauf kommen können, dass du dich mit Wasser auskennst. Was für ein Glück, dass du hier bist!«

Die Kochgeister treffen nun mithilfe des Wassergeistes alle Vorbereitungen für das Ritual. Zwischen den im Schlosspark lagernden Soldaten hüpfen währenddessen aus allen Himmelsrichtungen vier Ti-Blätter auf die Küche zu.

Das Ritual dauere nicht lange, versichern die Kochgeister, aber Kimon müsse solange mit seinen Wichteln die Küche verlassen. So wartet er oben und gibt seinen Leuten derweil die Anweisung, dass von den Blättern nun gleich ein Kranz zu flechten sei. Er teilt ein paar zum Flechten ein, die anderen schickt er aus, um schon mal die Säule hochzuklettern und eine Reihe zu bilden, dass dann der Kranz schnell hoch gereicht werden kann.

Kimon ist überrascht, es ging schneller als gedacht. Schon bringen vier Kochgeister die Blätter, die jetzt von einem geheimnisvollen hellen Schein umgeben sind.

»Für Irdische jetzt unsichtbar!« Lässt einer der Träger verlauten, dann übergeben die Kochgeister Blatt für Blatt ehrfürchtig den Wichteln. Die Blätter fühlen sich jetzt an wie seidiges Frauenhaar, geschmeidig und leicht wie eine Feder.

Wichtel sind geschickte Handwerker, flugs ist der Kranz geflochten. Vorsichtig legen sich ihn ein paar Wichteln auf die Schulter und tragen ihn nun um das Schloss herum.

Mrs. Clark sitzt auf dem schäbigen Holzstuhl, die Königin auf dem Sofa, zwischen ihnen steht der schlichte Tisch mit dem Frühstück. Die exotischen Früchte auf ihrem Teller rührt die Königin nicht an. Appetitlos stochert sie in ihrem herrlich duftenden Poi. Hin und wieder schiebt sie sich einen Löffel voll davon in den Mund, nur um den Brei dann von einer Backe zur anderen zu schieben. Ihr ist, als hätte sie einen Felsbrocken in ihrem Magen. Ihre ganze Konzentration ist auf die Geräusche gerichtet, die aus dem Erker kommen. Ein unentwegtes Glucksen und Gurgeln, die Geräusche die Ludwig's Magen produziert erscheinen ihr alles andere als königlich. Zum Glück gehen sie in dem immerwährenden klack, klack, klack der patrouillierenden Schritte nahezu unter und Mrs. Clark scheint mit ihren Gedanken schon bei ihren Kindern zu sein.

Ludwig weiß sich nicht mehr zu helfen – unentwegt knurrt sein Magen! Zusammengekauert versucht er in Hockstellung die Geräusche seines Magens zu dämpfen. Endlich sieht er am Fenster eine Wichtel-Silhouette auftauchen. Dann werden es immer mehr, die ersten

schlüpfen schon durchs Fenster und schieben den Rollladen zur Seite. Jetzt springt Kimon ins Zimmer:
»Majestät, man nehme einen Kranz, geflochten aus dem Blattwerk der Keulenlilien, man setze ihn Majestät aufs Haupt. Sodann nehme Majestät Ihr Haupt und neige es in alle vier Himmelsrichtungen und nehme jeweils einen tiefen Atemzug. Dann komme ein Irdischer, und er wird nicht mehr sehen!«
»Ach Kimon, ich verstehe mal wieder gar nichts! Du kannst doch mit anderen auch normal sprechen, so sag schon was los ist!« ruft der König ärgerlich.

Mrs. Clark nimmt ihren ganzen Mut zusammen, sie schaut die Königin an und steht auf.
»Königliche Hoheit, mir ist schon die ganze Zeit als würde ich Geräusche aus dem Erker hören. Jetzt hab ich ganz deutlich eine Stimme vernommen, ihr seid in Gefahr!«
»Ach, das sind bestimmt nur die Soldaten, die auf der Balustrade patrouillieren, lassen sie sich nicht von ihrem Frühstück abhalten, setzen sie sich wieder.«
Aber Mrs. Clark ist beunruhigt. Sie geht entschlossenen Schrittes zum Erkerzimmer, öffnet mit einem Ruck die beiden Türen und stößt sie energisch auf.
Die Königin schließt ihre Augen und wendet sich ab. Jetzt ist alles vorbei, gleich wird Mrs. Clark in lautes Gezeter ausbrechen und damit die Wachen herbeirufen.
Ein Windstoß lässt den Rollladen vor dem offenen Fenster gegen die Wand schlagen. Das Zimmer ist leer.
Verdattert dreht sich Mrs. Clark wieder um.
»Verzeiht Majestät, ich bin so angespannt, der gestrige Tag war einfach zu viel für mich, ich höre schon Stimmen! Vermutlich war es nur der Laden, der im Wind flatterte.«

Nur ein Traum?

Mrs. Clark hat gerade das Schloss verlassen. Die Königin ist alleine. Sie geht ins Erkerzimmer, vergewissert sich, dass die Rollläden dicht sind und ruft leise:

»Ludwig? Ludwig, seid ihr hier?«

Stille.

Sie geht zurück in den großen Raum und lässt sich erschöpft auf das Sofa sinken. Gerade als ihr der Schlaf die Augen schließt, raschelt es neben ihr. Erschrocken fährt sie hoch. Neben ihr steht Ludwig.

»Lili verzeiht, es hat eine Weile gedauert bis ich wieder sichtbar werden konnte. Jetzt hab ich Euch auch noch aus dem Schlaf gerissen!«

»Ich bin so froh, dass Ihr da seid! Was ist geschehen, wo wart Ihr als Mrs. Clark die Türe öffnete?«

Ludwig erzählt ihr, wie er es in letzter Sekunde schaffte, sich mit dem Ti-Blätter-Kranz in alle vier Himmelsrichtungen zu verneigen und jeweils vier tiefe Atemzüge zu nehmen. Just in dem Moment als die Tür aufflog wurde er unsichtbar.

Von der Balustrade hört man die Schritte der Wachen näher kommen, sie könnten gesehen werden, deshalb gehen die beiden zurück in den abgedunkelten Erker. Ludwigs Magen fängt schon wieder zu rumoren an. Die Königin hat den Großteil des Frühstücks zurückbehalten. Sie holt jetzt die Leckereien aus dem Brotschrank und stellt sie für Ludwig auf das Teetischchen.

Ludwig schaut neugierig auf die Teller; das einzige was er identifizieren kann ist ein marinierter Fisch, dann ist da noch eine Art Brei und verschiedenste Früchte. Die Königin sieht an seinem fragenden Blick, dass er die Speisen nicht kennt. Sie erklärt ihm:

»Das hier ist Poi, ein Brei, der aus der Knolle der großen Taro Blätter hergestellt wird, eine sehr gesunde Angelegenheit. Bis vor wenigen Jahren war es unser Grundnahrungsmittel. Das gelbe auf der Fruchtplatte ist Ananas, daneben Bananen, die Früchte in der Schale sind Maracuja, man löffelt nur die Kerne heraus, das milchige sind Salak, wir nennen sie auch Schlangenhautfrüchte und da gibt es noch ein paar Stückchen Pamelo. Die darüber gestreuten weißen Raspeln sind von einer Kokosnuss. In dem Schälchen befindet sich Kokosnusspudding und in dem Glas ist frisch gepresster Zuckerrohrsaft.«

Ludwig hat einen Bärenhunger und weiß gar nicht wo er anfangen soll, er schaufelt alles in sich hinein. Hin und wieder entfährt ihm ein ›Mmmh‹ oder ein ›ausgezeichnet‹ und er wird nicht müde zu beteuern, dass er so extraordinär deliziöse Früchte noch nie gegessen habe. Er isst alles ratzeputz auf, selbst das letzte Krümelchen Kokosnuss pickt er noch von der Platte.

»Ach Lili, ich weiß gar nicht wie ich Ihnen für diesen köstlichen Schmaus danken kann, es schmeckte alles vorzüglich!«

Wie zu Lebzeiten fühlt er sich jetzt voll, am liebsten würde er ein Nickerchen machen.

Da antwortet Liliuokalani:

»Ludwig, mir liegt ein schwerer Stein auf dem Herzen. Überstürzt musste ich den Washington Palace verlassen. Meint Ihr es gibt eine Möglichkeit meinen Siegelring aus dem Domizil zu retten. Wenn der in die Hände meiner Feinde fallen würde, oh, es ist nicht auszudenken! Sie könnten sämtliche Dokumente fälschen und mit meinem Zeichen versehen!«

Obwohl er ziemlich müde ist und sich am liebsten auf das Sofa legen würde, verspricht er Liliuokalani zu helfen. Seine Müdigkeit würde sicher vergehen, sobald er wieder unsichtbar ist, so hofft er.

Die Königin erklärt ihm genau, wie er an das Geheimfach ihres Sekretärs kommt, in dem sich der Ring befindet. Sie wollen keine Zeit verlieren. Ludwig ruft die Wichtel, um den Ti-Blätter-Kranz zu bringen. Er nimmt vier tiefe Atemzüge und verneigt sich dabei in alle Himmelsrichtungen. Schon löst er sich vor den Augen der Königin auf. Ein unheimliches Schauspiel!

Bevor sich Liliuokalani wieder aufs Sofa legt öffnet sie vorsichtshalber noch ein Fenster. Sie kann sich nicht mehr genau erinnern, aber irgendwie muss Ludwig ja nach draußen kommen, wenn er nicht durch Wände gehen kann... oder kann er doch? Dann fällt sie in einen tiefen, schweren Schlaf.

Kimon schickt seine Wichtel aus, sich im und um das Schloss herum umzusehen. Sie sollen erkunden, was es hier so an Unter- und Überirdischen Wesen gibt; er schärft ihnen ein, nett zu allen Geschöpfen zu sein und möglichst viele Freundschaften zu schließen.

Während dessen schwebt Ludwig mit Kimon in der Tasche über die Köpfe der Soldaten hinweg zum Washington Palace. Vor ihnen taucht ein stattliches, weißes Gebäude auf. An allen vier Seiten sind kleine Säulenhallen vorgebaut. Ein kleiner, aber wahrhaft repräsentativer und hübscher Wohnsitz. Die Residenz ist von einem großzügigen Garten umgeben, der den Staub und Lärm der Straße vom Haus fern hält. Die wundervollsten Blumen und Büsche blühen in diesem kleinen tropischen Paradies inmitten der geschäftigen Hauptstadt.

Der Palace ist mit Wachtposten an allen Zugängen besetzt. Auch hier wimmelt es jetzt von Soldaten. Gerade verlässt ein gut gekleideter Herr mittleren Alters den Haupteingang. Er trägt eine dicke Aktenmappe, hinter ihm schleppen zwei Angestellte schwere Taschen.

Ein Captain geht geradewegs auf den Herren zu, bleibt vor ihm stehen, salutiert und sagt:

»Zu Ihren Diensten Mr. Judd!«

Mr. Judd antwortet im Vorbeigehen:

»Captain Good, ich für meinen Teil bin hier fertig, sie können jetzt mit der gründlichen Durchsuchung beginnen.«

Er hebt die Hand zum Gruß und verlässt mit seinen beiden Gehilfen das Grundstück.

Die offene Eingangstüre ist von zwei Soldaten flankiert, Ludwig kommt ungehindert ins Haus und findet dank Liliuokalanis guter Beschreibung sofort das Arbeitszimmer mit dem Sekretär. Ein unschöner Anblick bietet sich ihm. Die Klappe ist offen und alle Schubläden sind herausgezogen und leer. Ihm scheint als hätte dieser Mr. Judd alles ausgeräumt.

»Kimon, lauf geschwind zurück und schau ob du dem Herrn folgen ·kannst, ich befürchte, er hat all die Unterlagen von Lili mitgenommen! Wir treffen uns dann wieder im Schloss.«

Schon ist Kimon verschwunden.

Zum Glück ist kein Mensch im Arbeitszimmer, so kann Ludwig sich sofort an das Geheimfach machen. Er findet den Ring mit dem Siegellack und packt beides schnell in seine Manteltasche. Keine Sekunde zu früh! Denn in diesem Moment taucht der Captain mit ein paar Männern im Türrahmen auf und gibt den Befehl, dieses Zimmer ganz besonders gründlich zu durchsuchen.

Nachdem anscheinend dieser Mr. Judd sämtliche Papiere fortgeschafft hat, plündert jetzt die Miliz das Haus erneut. Kein Gegenstand bleibt auf seinem Platz. Jede Schublade wird heraus gerissen, Tische und Schreibtische auseinander genommen, der Sekretär komplett in seine Einzelteile zerlegt. Hätte Ludwig den Ring nicht in letzter Sekunde aus dem Geheimfach gerettet, er wäre tatsächlich in falsche Hände geraten. Auf der Suche nach einem doppelten Boden zerbersten Porzellanvasen auf dem Parkett, Vorhänge werden heruntergerissen. Ludwig wird Zeuge, wie jeder noch so kleine Gegenstand auf den Kopf gestellt wird, um zu sehen, ob sich darunter oder darin etwas verbirgt.

Er schaut dem Treiben fassungslos zu, sie stellen einfach alles auf den Kopf. Sie verteilen den gesamten Haushalt über die Fußböden und hinterlassen ein einziges Chaos. Nicht einmal vor den Schmuckstücken der Königin machen sie halt. Sie stecken sich in die Taschen was wertvoll ist und zerstören den Rest. Ludwig ist entsetzt.

Wie konnte er nur Kimon wegschicken. Der hätte jetzt bestimmt einen Rat gewusst, um die Vandalen zu stoppen. Er denkt scharf nach. Ein Hausgeist wäre jetzt die Lösung! Aber die sind ausgerechnet heute alle auf ihrem geheimen Stern. Wenn er nur wenigstens ein paar Emogeister aufspüren könnte oder einen richtig übel gelaunten Duftgeist... aber dafür bräuchte er Kimon, denn seit er nicht mehr im Bardo ist kann er nur noch mit den wenigsten Kreaturen Kontakt aufnehmen.

Mittlerweile haben die Männer fast alle Wohnräume durchforstet und in einen riesigen Scherbenhaufen verwandelt. Jetzt gibt Captain Good den Befehl, den Keller nach einem versteckten, unterirdischen Munitions- und Waffenarsenal zu durchsuchen. Sie sollen die Fundamente freischaufeln, alle Wände abklopfen und jeden Hohlraum freilegen.

Ludwig hat genug gesehen und gehört; wenn diese Vandalen ihren Captain beim Wort nehmen, werden sie das Haus zum Einsturz bringen! Denn was er bisher von ihnen gesehen hat, lässt wenig Hoffnung, dass sie mit den Kellerfundamenten sorgsam umgehen. Er muss schnellstens Kimon finden! Vielleicht ist der ja schon zurück im Schloss?

Das Fenster zum Gemach der Königin steht noch offen, Ludwig kann ungehindert hinein. Er findet sie schlafend auf dem Sofa. Auf dem Tisch steht das Mittagessen, die Königin scheint nichts angerührt zu haben. Von Kimon ist weit und breit keine Spur. Ludwig geht in den immer noch abgedunkelten Erker, nimmt sich den Blätterkranz ab und weckt Liliuokalani, die zu ihm an den Teetisch kommt.

»Oh Lili, zuerst nehmt Euren Ring entgegen, wenigstens der ist gerettet! Was ich Euch ansonsten zu erzählen habe ist eine schreckliche Geschichte.«

Ludwig berichtet von den Vandalen wie sie im Washington Palace wüten und dass sich ein Mr. Judd vermutlich all ihrer Unterlagen bemächtigt hat.

Di Königin wird ganz bleich und antwortet mit kraftloser Stimme:

»Mr. Judd ist der Gerichtspräsident höchstpersönlich! Es ist unfassbar, dieser skrupellose Kerl soll meine gesamten privaten Unterlagen gestohlen haben? Hätte ich sie doch nur bei Zeiten alle vernichtet! Im Übrigen gibt es keine Waffen und kein Versteck im ganzen Haus, sie werden mir zu allem Übel auch noch den Washington Palace zum Einsturz bringen!«

In dem Moment hüpft Kimon auf den Tisch, atemlos krächzt er in seinen verworrenen Worten was er gesehen hat. Nachdem dieser mit seinem Bericht fertig ist, erzählt Ludwig auch Kimons Erlebnisse der Königin.

»Oh Lili, auch Kimon kommt mit schrecklichen Nachrichten.

Er konnte gerade noch auf die Kutsche springen, die Mr. Judd und die beiden anderen Männer direkt zu einem imposanten Regierungsgebäude, gleich hier neben dem Iolani Schloss, gefahren hat.

In einem Büro packten die drei all die gestohlenen Papiere vom Washington Palace aus. Sie sortierten sie nach allgemeinen Unterlagen, offiziellen und persönlichen Briefen, Tagebüchern, Testament der Königin und das ihres verstorbenen Mannes, Petitionen und Schriftstücken aus der Amtszeit. Eine weitere große Mappe war anscheinend aus dem Safe, so sagten sie.

Die geordneten Papiere stapelte Mr. Judd fein säuberlich auf seinem Schreibtisch. Die beiden Angestellten verließen den Raum und Mr. Judd beauftragte sie beim Hinausgehen, dass man ihm nun Mr. Helehule zum Verhör vorführen möge.

Mr. Helehule wurde barfuß und nackt, nur seine Scham war mit einem Lendentuch bedeckt, in den Raum geführt. Mr. Judd unterstellte ihm, einer der Anführer der angeblichen Revolte zu sein. Mr. Helehule beteuerte jedoch immer wieder seine Unschuld. Gestern, nach seiner Verhaftung, wurde er von Beamten ausgezogen und in eine dreckige, fensterlose Zelle ohne Licht, Wasser, Essen und Frischluft gesteckt. Stundenlang verharrte er stehend und nackt in dieser Zelle, ohne Sitzgelegenheit. Seine Notdurft musste er auf dem blanken Fußboden verrichten. Ratten huschten ihm zwischen den Beinen hindurch. Mr. Judd drohte ihm weitere Folter an, wenn er nicht zugäbe ein Anführer der Revolte zu sein. Wie Kimon herausfand, scheint es einigen anderen Verhafteten ähnlich ergangen zu sein. Außerdem konnte der Wichtel sehen, dass Mr. Judd von Kleingeistern besetzt ist.«

Die Königin schaut Ludwig erstaunt an:

»Was hat es zu bedeuten von Kleingeistern besetzt zu sein?«

»Kleingeister zu haben ist eine sehr unangenehme Angelegenheit. Es sind winzig kleine Wesen, noch viel kleiner als Flöhe, aber sie sind sehr mächtig. Bei einem Menschen können sie viel Schaden anrichten. Als

Irdischer war ich auch von ihnen befallen, aber damals wusste ich noch nicht um ihre Existenz. Kleingeister nisten sich immer Paarweise in den beiden Ohren eines Menschen ein. Sie fressen ihm all die schönen, inspirierenden Wörter, die ins Ohr dringen, sozusagen vor der Nase weg – also bevor sie den Gehörgang des Menschen erreichen. Übrig lassen sie nur Wörter, die schlechte Stimmung verbreiten, die Regeln aufstellen, die Vorschriften machen und Angst hervorrufen. Je länger sie in den Ohren eines Menschen sitzen, umso größer werden sie, und je größer sie werden umso gefräßiger werden sie. Der Mensch kann sich bald über nichts mehr freuen, wird immer griesgrämiger und ängstlicher.«

»Das ist ja unglaublich! Beinahe bekomme ich Mitleid mit diesem Unmenschen!«, ruft Liliuokalani aus.

»Ja verehrte Lili, ein Mensch mit Kleingeistern ist wirklich zu bemitleiden. Wir sollten uns aber um Mr. Judd jetzt keine Gedanken machen ...«

Ludwig und Liliuokalani sind sich einig, Mr. Helehule und den anderen Verhafteten muss geholfen werden und die Buddelei der Miliz im Washington Palace muss man stoppen, bevor die Fundamente im Keller beschädigt werden und das Haus einstürzt!

Während Ludwig der Königin diese Neuigkeiten berichtete, ging Kimon zum Fenster und stieß einen schrillen Pfiff aus. Sofort kletterten die ersten Wichtel die Balustrade hoch. Nachdem auch der letzte da war, versammelte er sie und hörte sich ihre Meldungen an:

In dem Banyanbaum hinterm Schloss konnten die Wichtel einen Schrat und mehrere Wurzelzwerge finden, ansonsten haben sie keine Unterirdischen entdeckt. Außer ein paar Erdgeistern scheinen sich auch keine Elementargeister herum zu treiben, zumindest konnten sie keine finden. Dafür gibt es in einem Zimmer im Schloss unzählige Musikgeister, im Gartenpavillon wimmelt es von Traumgeistern, die sich um einen Liebesgeist scharen. Sie konnten ein paar Menschen mit Emogeistern sehen und zwei Manen wurden gesichtet. Dann das Übliche: Kellergeister, Weingeister, Küchengeister, Fliegengeister, Kochgeister, ein paar kleinere Wassergeister, Feuergeister, Flaschengeister, verschiedenste Duftgeister. Im Garten wurde ein Heilgeist entdeckt und am Treppenaufgang in der Halle lungern zwei gelangweilte Flüstergeister. Die Hausgeister sind alle ausgeflogen, vermutlich haben die hier auch einmal die Woche Versammlung auf ihrem geheimen Stern.

Am Schluss piepst ein Wichtel mit schlotternden Knien:

»Und ich, ich hab aus der Ferne noch einen undefinierten Dämon gesehen, hab aber sofort kehrt gemacht bei seinem Anblick!«

Ludwig denkt laut nach: »Gelangweilte Flüstergeister ist gut. Kellergeister gibt's bestimmt auch im Washington Palace; vermutlich ebenso Duftgeister. Und wenn der Liebesgeist sich dazu bewegen ließe mit ein paar Traumgeistern mitzukommen, dann müsste man das hinbekommen!«

Kimon gibt zu bedenken:

»Majestät, man nehme einen Liebesgeist und locke ihn zu einer Tanzveranstaltung – kein Problem! Man nehme einen Liebesgeist und locke ihn zum Karneval – kein Problem! Man nehme einen Liebesgeist und locke ihn zu einem Sonnenuntergang am See – kein Problem! Man nehme einen Liebesgeist und locke ihn in einen staubigen Keller mit wütenden Soldaten – unmöglich!«

»Ja, Kimon ich weiß. Aber er soll nicht in den Keller, sag ihm, dass ihn ein wunderbarer Blumengarten erwartet!«

»Oho, man nehme den Verstand seiner Majestät und bewundere ihn. Blumen im Garten, da wird der Liebesgeist nicht lange warten!«

Eine Gruppe Wichtel soll die Flüstergeister aus der Halle dazu animieren zum Palace zu kommen, das wird nicht schwer sein, denn die sind immer für Abwechslung zu haben. Kimon will sich mit einer anderen Gruppe um den Liebesgeist und die Traumgeister kümmern. Die restlichen Wichtel stopft sich Ludwig in die Manteltasche. Sie verabreden sich an der östlichen Säulenhalle des Washington Palace. Ludwig setzt sich seinen Blätterkranz auf, atmet jedes Mal tief ein während er sich in alle vier Himmelsrichtungen verneigt, und schon ist er verschwunden.

Liliuokalani ist total erschöpft. Ihr kommt das alles wie ein einziger wirrer Traum vor. Sie lässt sich wieder auf ihr Sofa sinken. Mr. Helehule nackt in einer Zelle? Der Washington Palace dem Einsturz nahe? Ihr Aumakua der Bayernkönig? Küchengeister? Kochgeister? Kleingeister? Kellergeister? Flaschengeister? Flüstergeister? Wichtel? Wassergeister? Bald wird sie aufwachen und alles war nur ein Traum denkt sie, dann schläft sie ein.

Ludwig ist schon am Palace angekommen, er schaut sich nach dem Captain um. Ein paar Wichtel schickt er ins Badezimmer, um die Duftgeister aus der Sickergrube heraufzubitten. Die restlichen sollen so viele Kellergeister wie möglich zusammenrufen.

Endlich sind alle versammelt, nur die Latrinenduftgeister sind schon an der Kellertreppe. Zum Glück! Denn es sind besonders eklige Gesellen, völlig unsichtbar, aber dafür stockt einem der Atem wenn man nur in ihre Nähe kommt. Ludwig hatte sie grade noch rechtzeitig vor dem Eintreffen des Liebesgeistes zur Kellertreppe dirigieren können. Ansonsten hätte der Liebesgeist mit seinen Traumgeistern sofort das Weite gesucht.

Die zweite Nacht in Honolulu

Endlich hat sich Mrs. Wilson für die Nacht verabschiedet. Liliuokalani geht ins Erkerzimmer, schließt die Tür, setzt sich an den Teetisch und ruft Ludwig. Kaum ist er sichtbar knurrt schon wieder sein Magen.

Die Königin kann ihre Neugierde kaum zügeln. Sie fiebert darauf zu erfahren, was im Washington Palace passiert ist, und wie es um die Gefangenen steht. Trotzdem steht sie nochmal auf und holt für Ludwig die Reste ihres Abendessens.

Nachdem der König all die Köstlichkeiten aufgegessen hat fängt er an zu erzählen:

»Mit den Kellergeistern hatte ich ein leichtes Spiel. Sie waren schon vor meiner Ankunft aufs Äußerste gereizt und fühlten sich bereits von den Grabungsarbeiten der Soldaten in ihrer Existenz bedroht. Die Fundamente des Hauses waren schon fast freigelegt, bald würde das ganze Gebäude einstürzen. Noch nie hatte es jemand gewagt die Kellergeister dermaßen in ihrer Ruhe zu stören. Sie wollten die Eindringlinge schnellstens loswerden, fanden meine Idee gut und konnten ihren Einsatz kaum erwarten.

Verehrte Lili, ihr müsst vorweg wissen, der Kellergeister liebste Beschäftigung ist Versteck-Spielen und Erschrecken. Ihre besten Freunde sind Kellerasseln, Kakerlaken und Spinnen.

Aber zuerst traten die Duftgeister auf den Plan. Auf Kommando rauschten sie die Kellertreppe hinunter und lösten ihre Duft-Kollegen ab, die für den Schweißgeruch der Milizionäre zuständig waren. Im Nu roch ein jeder Mensch, der im Keller am Fundament kratze oder klopfte so sehr nach Latrine, als hätte er soeben ein Bad darin genommen. Die ersten Soldaten beschimpften sich schon gegenseitig an dem Gestank schuldig zu sein. Kaum einer arbeitete mehr.

Das war der Zeitpunkt für die Kellergeister, sie versteckten sich in den Ärmeln, Hemdkrägen und Hosenbeinen der Vandalen und riefen die Kakerlaken und Kellerasseln, sie mögen sie doch endlich suchen kommen. Natürlich stellten sie sich besonders plump an und lugten immer wieder heraus, so dass die Kakerlaken und Asseln geradewegs in die Hemdkrägen, Ärmel und Hosenbeine der Soldaten krabbelten.

Für Kimon hingegen war es ein hartes Stück Arbeit den Liebesgeist davon zu überzeugen, sich auf dem spröden Captain Good niederzulassen und ihm die rosarote Brille überzuziehen. Doch dann schien der Liebesgeist zusammen mit den Traumgeistern an dem Kerl Gefallen zu finden.

Kaum hatte der Liebesgeist dem Captain seine rosarote Brille aufgesetzt, fingen die Traumgeister an ihn einzulullen. Selten habe ich erlebt, dass die Geister ihren Schabernack soweit getrieben haben. Des Captains Blick wurde erst glasig, dann rollte er seine Augen bis er nur noch blödsinnig schielte, beim Gehen wackelte er so sehr mit den Hüften, dass er ins straucheln kam, dann blähte er seine Brust, dass ihm die Knöpfe vom Hemd sprangen. Am Schluss säuselte er nur noch Unsinn vor sich her.

Das war der Moment in dem die zwei Flüstergeister ihren Einsatz fanden.

Ihr müsst wissen: sobald ein Mensch nicht laut und deutlich spricht, ist es für die Flüstergeister ein leichtes die Wörter zu schlucken. Es macht ihnen einen riesigen Spaß, Buchstaben auszutauschen, umzustellen und dann ihre selbst kreierten Wörter auszuspucken.

Als der Captain im größtmöglichen Liebesrausch war, erschien der Leutnant aus dem Keller und meldete unerträgliche Zustände für ein weiteres Vorgehen.

Der Captain wollte nach der Ursache fragen, um welche Zustände es sich handeln würde. Aber er war so im Liebestaumel, dass er seine Worte nur noch aushauchen konnte – die Gelegenheit für die Flüstergeister! Sie kauten, schluckten, verdrehten, vertauschten, setzen neu zusammen und spuckten schließlich aus:

›Dann machen sie schleunigst einen abschließenden Bericht und wir verschwinden von hier!‹

Ich jubelte! Meine Strategie ging auf! Innerhalb von einer halben Stunde räumten sie das ganze Gelände. Nur noch an den Zugängen haben sie Wachtposten zurückgelassen.

Verehrte Lili, Ihr Hauspersonal durfte bleiben. Die Angestellten sind jetzt damit beschäftigt, die Einrichtung wieder herzustellen.

Nachdem der Washington Palace gerettet war, wollten wir einen Plan schmieden, um den Verhafteten zu helfen. Es wäre ein Leichtes gewesen, einen Dämonen und ein paar Feuergeister auf die Waffenbrüder anzusetzen.

Aus einer tiefen Einsicht heraus möchte ich mich aber dieser Kräfte nicht mehr bedienen. Während der letzten Jahre habe ich gelernt, dass jede Art von Gewalt nur neue Gewalt hervorbringt und irgendwann gelobte ich mir, nie wieder jemand anderem oder mir selbst Schaden zuzufügen – also müssen wir uns jetzt sehr gut überlegen, wie wir in der Sache vorgehen.

Das größte Problem dabei scheint uns der Gerichtspräsident mit seinen Kleingeistern zu sein. Aber vielleicht liegt darin auch schon die Lösung. Ist nämlich ein Mensch von Kleingeistern besetzt kann nicht nur er selbst keine Freude mehr finden, er tut in der Regel auch alles erdenklich Schlechte, um anderen das Leben zur Qual zu machen. Wenn wir also Mr. Judd von seinen Kleingeistern befreien könnten, dann würde er von sich aus wieder menschlicher werden. Es ist aber kein Leichtes, einen Menschen von Kleingeistern zu befreien, zumindest solange er selbst nicht um sie weiß und sie nicht persönlich loswerden möchte. Um ehrlich zu sein, mir ist kein einziger Fall bekannt, in dem es anderen Wesen gelungen ist so eine Tat zu vollbringen.

So konnten wir also heute für Mr. Helehule und den anderen Gefangenen noch keine Hafterleichterung erwirken. Aber die Traumgeister, die nach ihrem Schabernack mit dem Captain in bester Laune waren haben Kimon versprochen, in der Nacht zu den Gefangenen zu gehen, um ihnen zuversichtliche Träume zu bereiten. Sie werden den Verhafteten mitteilen, dass sie nichts Schlimmeres fürchten müssen und dass ihnen bald geholfen wird.«

»Ludwig, ich bin Euch auf Ewig zu Dank verpflichtet! Erst bringt Ihr mir meinen Ring, dann habt Ihr meine Familienresidenz vor dem Einsturz gerettet und jetzt wird auch den Verhafteten noch Mut gemacht!«

»Verehrte Lili, um ehrlich zu sein, den größten Dank verdient Kimon, denn ohne ihn hätte ich das nicht zu Wege gebracht. Es war uns wirklich eine große Freude, Ihnen diesen kleinen Dienst zu erweisen.«

Dann fügt er beinahe wehmütig hinzu:

»Ich fühlte mich fast zurückversetzt in mein Manendasein.«

»Ja Ludwig, da wurden wir letzte Nacht unterbrochen. Mane, so sagtet Ihr, ist man für ein Jahr. Was ist euch in diesem Jahr widerfahren und was ist dann eigentlich geschehen? Ihr habt bereits angedeutet, dass es euch nicht gelungen ist, Eure Verbindungen in Frieden aufzulösen?«

»Verehrte Lili, jetzt rückblickend schäme ich mich, so unklug und rachsüchtig gehandelt zu haben. Aber damals nach meiner Beerdigung war ich auf die ganze Regierung noch so wütend, dass ich einfach nicht anders konnte. Viele Fehltritte habe ich begangen, ein wenig davon werde ich Ihnen erzählen.

Ein paar Tage nachdem mein Leichnam bestattet wurde erfuhr ich, dass Baron von Crailsheim die wichtigsten Würdenträger der Stadt mit ihren Gattinnen anlässlich seines Geburtstages geladen hatte. Er wollte ihnen in seinem Haus ein prächtiges Mahl servieren. Als ich davon erfuhr, traf ich sofort alle Vorbereitungen, um ihm diese Feier gründlich zu verderben.

Die Elfe Delaren borgte mir ihre Tarnkappe, ich wollte einen ganzen Sack voll Erdgeister unbemerkt in das Haus des Barons bringen.«

Liliuokalani unterbricht Ludwig:

»Ludwig entschuldigt, ich verstehe nicht. Wozu brauchet Ihr eine Tarnkappe? Ich dachte als Mane sei man unsichtbar?«

»Ganz recht Lili, ich bin seit meinem Tod für Irdische unsichtbar – warum Ihr mich jetzt sehen könnt ist mir schleierhaft, aber es muss mit dem Fenster im Wintergarten zusammenhängen ...

Aber zurück zu Ihrer Frage. Die Tarnkappe brauchte ich für die Erdgeister, denn diese sind immer sichtbar. Aber da sie sich in der Regel auf Wiesen und Feldern aufhalten, können Menschen sie in ihrer natürlichen Umgebung nicht erkennen. Sie tarnen sich als kleine Erdhäufchen, Maulwurfshügel oder Kuhfladen. Begäbe sich ein Erdgeist zum Beispiel auf eine Treppenstufe, könnte ihn jeder Irdische sofort sehen, auch wenn er ihn vermutlich mit einem Kuhfladen oder Erdhäufchen verwechseln würde.

Ich musste also eine Möglichkeit finden, um die Erdgeister unbemerkt in Crailsheims Haus zu bringen. Dafür brauchte ich Delarens Tarnkappe, ich musste den Sack mit den Erdgeistern für Menschen unsichtbar machen. Für meinen Plan konnte ich noch ein Geschwader Fliegengeister gewinnen – sie sind absolut unsichtbar. Man kann sie aber relativ leicht finden wenn man weiß, dass jeder Fliegengeist von mindestens einem Dutzend

Fliegen umschwärmt wird. Kimon erwies sich auch damals schon als große Hilfe, war ich doch noch längst nicht mit all den Wesen und Gesetzmäßigkeiten aus der über- und unterirdischen Welt vertraut.

Frühzeitig begab ich mich also an diesem Tag zum Haus des Barons, ich wollte mit den ersten Gästen Einlass finden. Sämtliche Oberregierungsräte, Landtagsabgeordnete, Minister und sogar der Reichsrat waren geladen. Einer nach dem anderen kamen sie hochdekoriert mit blankgeputzten Stiefeln und ihren aufgetakelten, mit Schmuck beladenen Gattinnen.

Ich platzierte mich mit meinem Sack in einer ruhigen Ecke. Die Fliegengeister lauerten draußen auf den Fensterbänken während Kimon mit seinen Wichteln von innen auf die Fensterbretter kletterte.

Baron von Crailsheim hielt eine arrogante und selbstgefällige Tischrede, dann wurde die Suppe aufgetragen und die Gläser zum Anstoßen eingeschenkt. Als alle Gäste ihre Gläser in der Hand hielten, und dem Jubilar zu prosteten, flog eine Vase zu Boden – das war mein Werk. Alle wendeten ihren Blick erschrocken zu dem Scherbenhaufen, dann bewegten sich die Vorhänge, gerade so als würde der Wind in sie blasen. Die ersten Damen ließen ihre vollen Gläser fallen und kreischten. Plötzlich sprangen alle Fenster gleichzeitig auf – das war natürlich das Werk der Wichtel – und die Fliegenschwärme stürmten ins Zimmer.

In der Zwischenzeit, während alle starr vor Schreck ihre Aufmerksamkeit auf die Fenster richteten, ließ ich die Erdgeister aus dem Sack, sie platzierten sich sofort vor den Gästen auf ihren Tellern.

Kimon hatte zu meiner Überraschung noch einige Duftgeister, von auf dem Weg liegenden Kuhfladen, mitgebracht. Zusammen mit den Fliegengeistern flogen sie nun durch die Fenster herein, geradewegs über die festlich gedeckte Tafel.

Als die Gäste sich wieder dem Tisch zuwandten, hatte jeder einen als Kuhfladen getarnten Erdgeist vor sich auf dem Teller liegen. Die Fliegen umkreisten die Tafel wie einen Misthaufen und die Duftwolke verstärkte den Eindruck, sich in einem Kuhstall zu befinden.

Verehrte Lili, Ihr könnt Euch die Empörung und das Entsetzen vorstellen, das die Gäste nun auseinander stoben ließ. Die Damen packten ihre Handtaschen und verließen, von ihren Männern gefolgt, Hals über Kopf das Haus. Dieser Spaß war für Wochen das Stadtgespräch! Und der Baron konnte sich kaum mehr unter die Leute wagen.

Oh, es war mir eine genüssliche Vergeltung – und für all den Kummer, den mir der Baron zu Lebzeiten bescherte, ist er dabei noch gut weggekommen!«

»Sagt Ludwig, habt ihr derartigen Schabernack noch öfters getrieben?«

»Aber sicher doch. Dieser erste Vergeltungszug hat mir so viel Genugtuung bereitet, dass während meines gesamten Bardo-Jahres kaum eine Woche verging in der ich nicht mit einem meiner Widersacher abgerechnet hätte.«

»Oh Ludwig, das ist ja schrecklich! Was ist denn dann nach einem Jahr passiert? Ihr sagtet letzte Nacht, Ihr wurdet nicht bestraft?«

»Ja, das ist richtig. Ich wurde nicht bestraft.

Es gibt allerdings im überirdischen Dasein Naturgesetze, genauso wie im irdischen Leben. Nehmen wir zum Beispiel das Gesetz der Schwerkraft: Wenn ich einen Gegenstand in meiner Hand halte und ihn loslasse, so fällt er zu Boden. So gibt es auch im überirdischen Dasein eine Art logische Konsequenz. Wenn ein Mane seine irdischen Verbindungen im Bardo-Jahr nicht löst, kann er nicht in die nächste Existenz kommen und bleibt sozusagen in einem Zwischenstadium hängen. So, wie ein zu großer Stein nicht durch ein feinmaschiges Sieb passt, konnte ich nicht in die nächste Sphäre gelangen.

Ich musste mich also nach dem Bardo-Jahr für einen Ort auf Erden entscheiden, an dem ich fortan bleiben sollte. Natürlich habe ich mich für mein Lieblingsschloss Neuschwanstein entschieden. Seit dieser Zeit ist es mir nicht mehr möglich, mich frei in aller Welt zu bewegen. Mein Wirkungskreis ist seit knapp sieben Jahren auf diesen ›Bannort‹, also das Schlossgelände, beschränkt.

Mit dem Ende meines Bardo-Jahres veränderten sich auch die Möglichkeiten meiner Fortbewegung. Seit ich auf Neuschwanstein bin, kann ich durch Mauern gehen – was mir im übrigen kein Vergnügen bereitet – dafür gelingt es mir nicht mehr so gut zu schweben, es ist bestenfalls noch ein segeln.

Viele Menschen haben eine Ahnung von meinem jetzigen Zustand. Er kommt dem gleich, was man sich landläufig unter einem Schlossgespenst vorstellt. Mir sagt man nach, dass ich für ein richtiges Schlossgespenst zu wenig plump wäre. Wie auch immer, ich fühle mich wohl, so wie es ist. Ein Gespensterdasein ist zeitlich nicht begrenzt. Manche Gespenster verharren in ihrem Zustand eine Ewigkeit. Aber es gibt auch Möglichkeiten diese Form der Existenz wieder zu verlassen.«

»So, wie ihr jetzt vor mir aufgetaucht seid Ludwig?«

»Verehrte Lili, wie ich hier her kam kann ich mir beim besten Willen nicht erklären, nur zu gerne würde ich diesem Geheimnis selbst auf die Spur kommen...

Doch möchte ich jetzt nochmal zurückkommen auf meine Frage von letzter Nacht, als Kimon uns unterbrach. Ihr spracht grade von den ›Taboos‹ in eurer alten Kultur. Ein Regelwerk an Verboten, die allesamt gewährleisten sollten, dass ›Mana‹ nicht verloren geht. Den ganzen Tag habe ich darüber gegrübelt, was das wohl zu bedeuten hat?«

»Lieber Ludwig, das ist eine schwierige Frage!

Es war eine Art Geheimwissen, das die Kahuna nui, also unsere Gelehrten, nur mündlich an ihre Schüler und Nachfolger weitergaben. Die Wiedergabe des exakten Wissens um ›Mana‹ erfordert mehr als sechzehn Stunden wortgetreue Rezitation. Ich selbst habe nur ein sehr oberflächliches Wissen darüber, welches ich aber gerne mit Euch teile.

Bei Mana handelt es sich um eine geistige Energie, die sich in Menschen, an Orten oder Dingen bündeln kann. Mana ist die Kraft, mit der ein Wind bläst, mit der eine Pflanze wächst oder die eine Welle im Ozean bewegt. Berggipfel, Höhlen, Wasserfälle, Täler und andere Erscheinungen in der Natur haben ihr spezielles individuelles Mana. Früher gab es in unserer Kultur Kraftplätze in der Natur, an denen Menschen ihr Mana aufladen konnten.

Wenn ein Mensch außerordentliches Talent, Intelligenz, Stärke und Charisma hatte, so sagte man, dass er besonders viel Mana habe. Ob jemand viel oder wenig Mana hat beeinflusst seinen Erfolg und sein Glück.

Es wurde sogar geglaubt, dass auch den Wörtern selbst Mana innewohnt. Ein altes Sprichwort sagt: ›Ein Wort als Speer geworfen, kann zurück kommen und den Sprecher selbst schwer verletzen.‹

Mana wird oftmals visualisiert als ›Segen von Regen‹, denn das Symbol für Mana ist Wasser.«

»Lili, je mehr ihr mir von Eurer Kultur erzählt, umso mehr schmerzt mich der Verlust dieses alten Wissens.«

Liliuokalani und Ludwig erzählen und erzählen. Kimon schlummert schließlich auf Ludwigs Schoss ein, die anderen Wichtel dürfen heute ausdrücklich mit Erlaubnis des Königs in dessen Manteltaschen nächtigen. Insgeheim ist Ludwig nämlich sehr froh, die treuen Helfer jetzt hier zu haben.

Und es kommt noch schlimmer!

Die Zeit bis zum Morgengrauen vergeht wie im Flug – noch so viel möchten sich die beiden erzählen, aber die ersten Sonnenstrahlen tauchen das Erkerzimmer durch die Spalten der heruntergezogen Jalousien bereits in fahles Licht. An diesem Morgen will Ludwig der Königin seinen knurrenden Magen ersparen, außerdem gibt es viel zu tun. Noch während die Dämmerung langsam in den Raum dringt nimmt er seinen geflochtenen Ti-Blätter-Kranz, verneigt sich in alle vier Himmelsrichtungen, nimmt vier tiefe Atemzüge und wird unsichtbar.

Keine Minute zu früh, denn schon klopft der Diener mit dem Frühstück an die Türe. Liliuokalani lässt das Tablett auf dem Tischchen neben dem Sofa abstellen. Sie geht ins Badezimmer, um ihre Morgentoilette zu erledigen. Als sie zurück kommt, schließt sie vorsichtshalber die Flügeltüren zum Erkerzimmer bevor sie sich an den mittlerweile von Mrs. Wilson gedeckten Tisch setzt. Sie schickt Mrs. Wilson zurück in ihr Zimmer, sie möchte alleine das Frühstück einnehmen. Liliuokalani ist zuversichtlich, dass Ludwig und Kimon heute eine Lösung für die Verhafteten finden werden.

Während sie sich genüsslich einen Löffel ›Zweifinger-Poi‹ in den Mund schiebt, betritt unvermittelt Mr. Paul Neumann ihr Zimmer. Ohne Umschweife beginnt er seine Rede:

»Verehrte Königin, es wurde entschieden, dass alle führenden Köpfe der Revolte hingerichtet werden. Eure Majestät müssen sich darauf vorbereiten, mit den Anführern zu sterben. Außerdem wurden noch sechs weitere Personen ausgewählt, die stellvertretend für alle Teilnehmer der Revolte wegen Verrats standesrechtlich erschossen werden sollen. Das Volk muss abgeschreckt werden, um weiteres Aufbegehren zu verhindern. Sobald die Einzelheiten der Hinrichtungen geplant sind werde ich mich wieder melden.«

Liliuokalani ist nicht mehr in der Lage, den Bissen in ihrem Mund zu schlucken. Ihre Kehle ist wie zugeschnürt. In ihrer Brust trommelt ein wilder Paukenwirbel. Sie fasst sich mit beiden Händen ans Herz. Ihr Brustkorb wird gleich zerbersten. Noch mit dem Poi im Mund kann sie nur leise stammeln:

»Mein Arzt, ich brauche meinen Arzt.«

Mr. Neumann reagiert mit eiskalter Stimme:

»Ihr wollt Euch wohl aus der Affäre ziehen? Soll Euch der Arzt etwa ein Pülverchen geben, mit dem Ihr Euch aus dem Leben stehlen könnt? Nein, wir wollen Euch lebendig richten! Bis zu Eurer Exekution werdet Ihr keinen Arzt zu Gesicht bekommen!«

Dann dreht er sich um und verlässt forschen Schrittes den Raum.

Liliuokalani ist völlig verzweifelt, von einer Sekunde auf die andere ist ihre ganze Zuversicht gewichen. Die Einsamkeit, die Hilflosigkeit und die Last der Verantwortung für ihre treuen Untertanen schnürt ihr die Luft ab. Wo ist Ludwig? Sie braucht jetzt Beistand in dieser schweren Stunde – alleine hat sie keine Kraft mehr, der Boden schwankt unter ihren Füßen. Sie könnte Mrs. Wilson aus dem Nebenzimmer herbei holen, auch wenn sie ihr nicht vertraut, so hätte sie mit ihr doch wenigstens ein menschliches Wesen in der Nähe. Aber sie hat keine Kraft mehr, sich aufzurichten, sie sinkt ohnmächtig auf ihr Sofa.

Ludwig wird wieder sichtbar, zwar ganz langsam, aber dafür gänzlich ungewollt, zuerst seine stattlichen Füße, dann sein massiger Leib, nur der Kopf ist noch geisterhaft und durchsichtig. Wäre Mr. Neumann nur ein paar Minuten länger geblieben so wäre er Zeuge dieser unfreiwilligen Verwandlung geworden.

Ludwig ist ganz verdattert, er hat doch seinen Kranz nicht abgenommen!

Kimon schwant Furchtbares:

»Majestät, man nehme eine Tarnkappe und sie verliert nie ihren Zauber! Man nehme einen Ti-Blätter-Kranz – und oje! Der verliert seine Kraft! Man hole neue Blätter und eile wie der Wind zuerst in die Küche, und dann zurück zu Majestät geschwind!«

Ludwig traut sich nur noch zu flüstern:

»Kimon, schick vorweg schon ein paar Wichtel in die Küche, sie sollen Riechsalz für die ohnmächtige Königin bringen! Ich bleibe solange im Erker.«

Während die letzten Wichtel noch die gepflückten Ti-Blätter zwischen den lagernden Soldaten im Garten zur Küche schleppen, klettert schon ein Riechsalzfläschchen, wie von unsichtbarer Hand geführt die Balustrade hoch. Ein Soldat, der das schwerfällig sich nach oben hangelnde Fläschchen bemerkt, will grade seine Kameraden darauf aufmerksam machen, hält aber in letzter Sekunde doch noch inne. Vielleicht hatte er letzte Nacht zuviel getrunken? Wie sollte sich so ein Fläschchen von alleine nach oben bewegen? Vorsichtshalber schließt er nochmal die Augen, zwinkert, und als er die Augen wieder öffnet, ist das Fläschchen verschwunden. Es war vermutlich doch der Alkohol, der ihm Halluzinationen bereitete, so denkt er.

Tatsächlich bewegte sich das Fläschchen jedoch jetzt auf der Innenseite der Balustrade weiter aufwärts. Kimon hatte von oben den starren Blick des Soldaten bemerkt und den Wichteln schnell Anweisung gegeben, das Riechsalz auf der Rückseite des Geländers hoch zu reichen. Puh, das ging gerade nochmal gut.

Der Gerichtspräsident

Nachdem Liliuokalani langsam wieder aus ihrer Ohnmacht erwachte, beriet sie sich lange hinter der verschlossenen Türe des Erkerzimmers mit Ludwig.

Die Situation hatte nun so dramatische Ausmaße angenommen, dass Ludwig trotz seiner guten Vorsätze ein paar Feuergeister und Dämonen zu Hilfe bitten wollte. Aber als die Königin hörte, dass eine Feuersbrunst ihren Widersachern großen Schaden zufügen sollte, sie vielleicht sogar das Leben kosten könnte, und der Dämon schreckliches Leid bei ihnen und ihren Familien hinterlassen würde, richtet sie folgende Worte an ihren Freund.

»Lieber Ludwig, ich weiß Euren Vorschlag und Euer Mitgefühl sehr zu schätzen. Was für ein Trost und eine Hilfe, Euch in diesen schweren Stunden bei mir zu haben. Aber ich möchte in jedem Fall ein Blutvergießen vermeiden. Bei meiner Seele, egal ob Freund oder Feind! Es muss doch eine andere Möglichkeit geben, um dem Mordvorhaben dieser Umstürzler Einhalt zu gebieten. Wäre nur ich selbst betroffen, ich ginge mutig in den Tod. Aber all diese unschuldigen Menschen, deren einziges

Vergehen darin besteht, ihrer Königin gegenüber Zuneigung und Loyalität gezeigt zu haben, sie in den Tod stürzen zu sehen, das bricht mir das Herz. So bitte ich Euch, wenn es irgendwie in Eurer Macht steht, diese Unschuldigen zu verschonen. Ich bin bereit, mein Leben dafür zu geben.«

Großen Respekt hat er für die Haltung der Königin. Sie erinnert Ihn an seine eigene Kapitulation, als damals die Kommission in Neuschwanstein auftauchte, um ihn zu verhaften. Auch er zog es vor sich zu ergeben, ja sein Leben hat er hingegeben, um ein Blutvergießen zu vermeiden.

Kimon, der dem Gespräch der beiden aufmerksam gelauscht hatte, meldete sich nun zu Wort:

»Majestät, die Zeit, sie schreitet fort. Besser wäre es zu handeln, um den elendigen Mr. Judd zu verwandeln. Kimon kennt den Ort des Geschehens, an dem die richterlichen Sprüche werden mit dem Siegel versehen. Rat und Tat wird sich ergeben, wenn wir nur endlich von dannen streben!«

Ja, Kimon hatte Recht, sie sollten keine Zeit mehr verlieren und vielleicht ist es eine gute Idee, ins Büro des Gerichtspräsidenten zu schauen.

Noch während Ludwig sich den Ti-Blätter-Kranz aufsetzt nimmt Liliuokalani ihm das Versprechen ab, bei seinem Vorgehen darauf zu achten, dass kein Mensch zu Schaden kommt.

Kimon stößt einen schrillen Pfiff aus, woraufhin sich die ausgeschwirrte Wichtelkompanie eiligst in die Manteltaschen des Königs verkriecht. Und schon machen sie sich auf den Weg zum Ali'iolani Hale, dem Justizpalast von Honolulu. Sie haben es nicht weit, das imposante Gebäude mit seinem Uhrenturm liegt gleich gegenüber dem Iolani Palast.

In dem großzügigen Büro des Gerichtspräsidenten, mit seinen hohen Decken und den riesigen Fenstern, erwartet sie ein geschäftiges Treiben. Mr. Judd sitzt hinter seinem Schreibtisch, auf dem sich die vielen Papierberge so hoch stapeln, dass er kaum noch darüber hervor schauen kann. Zwischen den Papierbergen steht eine Petroleum Laterne. Von der Decke hängt eine Gas Lampe und auf einem kleinen Sideboard stehen verschieden große Tintengläser, Schreibfedern und Griffel, Siegellack, daneben eine Flasche Petroleum, weitere leere Flaschen, eine Lichtputzschere, eine Kerze und Zünder. In einer Ecke lehnt ein Regenschirm – oder ist es ein Sonnenschirm?

Einige Gerichtsdiener sind damit beschäftigt, Schriftstücke aus vollgestopften Schränken zu suchen oder sie wieder dorthin zurück zu stecken. Andere gehen ein und aus, um Befehle des Gerichtspräsidenten in Empfang zu nehmen oder eine Meldung abzugeben, um dann eiligst mit einem Buckel rückwärts den Raum wieder zu verlassen. Ein Diener ist damit beschäftigt, einen riesigen Fächer hin und her zu bewegen, um die Hitze im Raum erträglicher zu machen.

Wieder kommt ein Gerichtsdiener und meldet, dass Mr. Paul Neumann soeben eingetroffen ist und um ein vertrauliches Gespräch bittet. Sofort schickt Mr. Judd alle Anwesenden aus dem Raum und lässt den Besucher eintreten. Auch der Diener mit dem Fächer muss jetzt das Büro verlassen.

Kaum ist die Tür hinter Mr. Neumann geschlossen, schon bricht es aus Mr. Judd heraus:

»Paul konntest du alle dazu bringen zu unterzeichnen und zu siegeln?«

»Ja, keine Bange, ich hatte gegen jeden Einzelnen genug in der Hand, um alle Unterschriften zu erwirken. Hier ist das Todesurteil mit allen nötigen Signaturen. Jetzt fehlt nur noch dein Siegel.«

»Dann war die ganze Mühe hier umsonst? Keiner wollte Akteneinsicht, keiner wollte Beweise?« Dabei deutet Mr. Judd auf seinen Schreibtisch mit den Papierbergen.

»Nein, kein einziger wollte Beweise für eine Verschwörung der Königstreuen. Meine Druckmittel wogen schwerer als alle Beweise. Jetzt können wir unbehelligt die Anhänger der Monarchie samt Königin hinrichten lassen. Aber diese fingierten Beweise sollten wir in jedem Fall aufbewahren. Wer weiß, vielleicht können sie uns zu einem späteren Zeitpunkt noch dienlich sein.« So tönt es aus der selbstgefälligen und vor Schadenfreude verzogenen Fratze Neumanns.

»Sehr gut, sehr gut Paul; auf dich kann man sich verlassen!« Während der Gerichtspräsident dies sagt, fletscht er die Zähne wie ein Kettenhund, dann verwandeln sich seine Gesichtszüge in ein hämisches Grinsen. Er legt das erhaltene Urteil auf einen seiner Papierstapel und begleitet Neumann zur Türe. Sie verabschieden sich mit einem kräftigen Händedruck.

Ludwig starrt die beiden Männer entsetzt an. Diese Bande! Eine Verschwörung wie in einem schlechten Schmierenstück. Jetzt muss schleunigst gehandelt werden. Sein Blick wandert durch den Raum und bleibt an der reich verzierten Lichtputzschere neben der Petroleum Flasche hängen. Da kommt ihm eine Idee.

»Kimon, schicke ein paar Wichtel rüber zur Kerze, sie sollen eine Fingerbreit Wachs unter dem Docht abtragen, dann das Kästchen der Lichtputzschere, in dem der abgeschnittene Docht aufgefangen wird, mit Petroleum füllen. Das restliche Petroleum sollen sie über die Papiere auf dem Schreibtisch gießen. Ganz besonders gut getränkt soll das Papier werden, welches eben der elende Neumann brachte.«

»Majestät, Euer Wunsch ist uns Befehl! Aber warum soll das geschehen?«

»Kimon, überleg doch. Gleich wird der Gerichtspräsident das Todesurteil der armen Unschuldigen siegeln – nur sein Siegel fehlt noch. Er wird die Kerze anzünden, um das Siegelwachs zu erhitzen. Der viel zu lange Docht wird flackern, er wird die Dochtputzschere zur Hand nehmen, um ihn zu kürzen, das Petroleum aus dem Dochtkästchen wird sich in die Flamme ergießen, es wird eine Stichflamme geben – muss ich noch mehr sagen?«

»Oh Majestät, wie bewundert Kimon Ihre Kreativität! Genial gedacht, wird auf der Stelle vollbracht.«

Sofort hüpft er mit einigen Wichteln hinüber zum Sideboard und Schreibtisch, um das kleine Feuerwerk vorzubereiten. Als alle Wichtel wieder an Ludwig hochgeklettert und in seinen Manteltaschen verschwunden sind, macht er sich eiligst aus dem Büro, denn dort würde es bald ungemütlich werden.

Jetzt muss sich um die Gefangenen gekümmert werden, dazu will er erstmal einen ruhigen Winkel im Gerichtspalast finden, um sich mit Kimon zu beraten.

»Kimon, im Büro von Mr. Judd sah ich zwei Bürogeister vor dem Fenster lümmeln und ich meine in einer der leeren Flaschen auf dem Sideboard haust ein Flaschengeist. Ich weiß, Flaschengeister sind sehr schwer dazu zu bewegen, eine einmal bezogene Flasche wieder zu verlassen – aber die mögen doch keine allzu große Hitze?«

»Jawohl Majestät, bei Hitze Schwitze, Graus und raus!«

»Ach Kimon, ich hab dich zwar verstanden, aber deine Versuche dich höfisch zu artikulieren sind wirklich albern. Rede doch einfach normal mit mir!«

Beleidigt zieht Kimon eine Schnute.

»Nein, bitte schau mich nicht so an, ich bin doch so froh, dass du bei mir bist! Bitte verzeih mir.«

»Schon gut«, piepst Kimon noch sichtlich verstimmt.

»Ehrlich, es tut mir leid! Du bist mein bester Freund!«

Kimons Gesicht hellt sich wieder auf und Ludwig ist sichtlich erleichtert.

»Also Kimon, pass auf. Die Bürogeister schienen mir sehr satt und zufrieden zu sein. Sie haben dort oben genug Möglichkeiten, Unfrieden und schlechte Stimmung zu verbreiten, die werden wir kaum zum Gefängnis locken können. Obwohl ich noch keinen konkreten Plan habe, aber ein Flaschengeist mit seinen vielen Möglichkeiten in den unterschiedlichsten Formen zu erscheinen, könnte bestimmt von Nutzen sein. Wir müssen ihm nur sagen, dass es dort oben im Büro bald sehr heiß wird, und ihm versprechen, bei der Suche nach einer neuen Flasche behilflich zu sein.«

»Majestät, als wir traten ein, in der Halle ganz allein…«

Ludwig rollt genervt die Augen. Als Kimon dies bemerkt schlägt seine Stimme auf normal um:

»Na gut, aber nur heute spreche ich so vulgär zu Majestät – weil es um so viele Menschenleben geht.«

Ludwig schaut ihn liebevoll und dankbar an als er normal weiterspricht:

»Als wir das Gerichtsgebäude betraten, sah ich in der Eingangshalle unten, gleich neben dem rechten Treppenaufgang, einen freien Unternehmungsgeist, der sah recht gelangweilt aus. Und Unternehmungsgeister sind die einzigen Überirdischen, die ich kenne, die sich auf einen von Kleingeistern besetzten Menschen einlassen würden.«

»Hm« antwortet Ludwig »das könnte die Lösung für den Schlussstein in der Geschichte sein…, lass uns runter gehen und nachschauen, ob er noch da ist.«

Schnell begibt sich Ludwig nach unten in die feudale Eingangshalle. Und tatsächlich finden sie den wie ein zerzaustes Wollknäul aussehenden Unternehmungsgeist noch an der Treppe lungern. Hunderte von losen Faden-enden baumeln aus ihm heraus – ein gutes Zeichen dafür, dass er voller Energie und Tatendrang ist. Und als dieser hört, dass es sich um den Gerichtspräsidenten handelt, dem er ein bisschen Dampf machen soll, ist er sofort einverstanden.

Sie begeben sich also nochmal nach oben in das Zimmer des Gerichtspräsidenten. Dieser hat die Kerze bereits auf seinen Schreibtisch herüber getragen und nimmt gerade den Zünder in die Hand. Jetzt gilt es schnell zu handeln.

Ludwig erteilt dem Unternehmungsgeist noch eiligst genaue Anweisungen, was unverzüglich sofort auszuführen ist und zu welchen Aktivitäten er Mr. Judd in den nächsten Tagen inspirieren soll.

Kaum sitzt das ›Wollknäul‹ Mr. Judd im Nacken, legt dieser den Zünder wieder beiseite und ruft nach einem Schreiber. Eilends diktiert er ihm einen richterlichen Beschluss, unterzeichnet das Papier und lässt es gleich von einem Gerichtsdiener zum Gefängnis bringen.

Währenddessen ist Kimon schon auf das Sideboard zu den Flaschen gesprungen. Der Flaschengeist ist nicht zu übersehen und als er hört, dass es im Büro gleich ziemlich heiß werden soll, braucht es keiner großen Überredungskunst mehr. Er schlüpft geschwind aus seiner Flasche heraus und kuschelt sich freudig in Ludwigs Hermelinkragen – so weich war er schon lange nicht mehr gebettet.

Und schon verlässt Ludwig mit seinen Helfern das Büro. Sie haben noch nicht die Treppe erreicht, als sie panisches Geschrei aus Judds Büro vernehmen:

»Feuer, Feuer, Hilfe Feuer!«, so schallt es durch den Gang.

Die Gefangenen

Ludwig nimmt nochmal einen tiefen Atemzug, er genießt die Seeluft und die schöne Aussicht auf den Hafen. Nur schade, denkt er sich, dass die Gefangenen nichts von der frischen Luft und dem herrlichen Blick haben. Dann wendet er seinen Blick wieder auf das massive Gefängnis, vor dem er nun steht. Er hat keine Lust, durch dieses dicke Mauerwerk zu segeln und sucht nach einer Möglichkeit, durch eine offene Türe reinzukommen.

In dem Moment fährt eine Kutsche vor. Als sich der Schlag öffnet, steigt der Gerichtsdiener, mit dem eben von Mr. Judd erstellten Beschluss, aus. Ludwig heftet sich ihm sofort an die Fersen und passiert so unbehelligt alle verschlossenen Türen und Wachtposten bis zum Gefängnisdirektor.

Der Gefängnisdirektor nimmt das Papier entgegen und entlässt den Gerichtsdiener. Aufmerksam liest er die wenigen Zeilen halblaut vor sich hin, dann schüttelt er ungläubig den Kopf. Noch einmal liest er Wort für Wort und legt schließlich das Papier sichtlich erleichtert zur Seite. Nun murmelt er vor sich hin:

»Von den zweihundert Gefangenen sind alle zu entlassen, die nur der Beihilfe bezichtigt wurden. Das sind etwa 120 Leute, die hier verwahrt werden, über 60 sitzen noch auf den verschiedensten Polizeistationen der ganzen Stadt ein.«

Er zieht an seiner Uhrkette öffnet den reichverzierten Sprungdeckel seiner silbernen Taschenuhr und wirft einen Blick auf die Zeiger.

»Drei Uhr durch. Das werde ich heute nicht mehr schaffen, alle Polizeistationen zu verständigen; aber die Gefangenen, die hier einsitzen, die können wir heute noch entlassen. Die Verhörmeister und die Folterknechte werden erleichtert sein, haben sie doch seit dieser Massenverhaftung rund um die Uhr gearbeitet. Die Drahtzieher der vermeintlichen Verschwörung sollen noch im Arrest bleiben, aber wenigstens müssen wir ihnen kein Geständnis mehr herauspressen. Ich will zuerst zwei Schreiber beauftragen, sie sollen für die Polizeistationen Abschriften vom Entlassungsbeschluss anfertigen.«

Ludwig hat genug gehört, er ist mit der Arbeit des Unternehmungsgeistes sehr zufrieden, scheint eine wirklich fähige Kreatur zu sein, hoffentlich inspiriert er Mr. Judd auch zu den anderen Aufträgen so gewissenhaft.

Jetzt will er schleunigst den armen Mr. Clark und Mr. Helehule sowie die anderen angeblichen ›Drahtzieher der Verschwörung‹ finden. Für gewöhnlich sind die schlimmsten Verliese im Keller eines Kerkers vorzufinden. Auf der Suche nach der Treppe, die nach unten führt, erblickt er, unter welch entsetzlichen Bedingungen die Menschen hier eingesperrt sind. In jede Zelle sind so viele Menschen gepfercht, dass es unmöglich erscheint – auch nur für eine einzelne Person –, sich hinzulegen. Der blanke Fußboden ist lediglich mit etwas Stroh ausgelegt, es gibt keinen Platz wo sie ihre Notdurft verrichten können. Sie müssen urinieren und größeres, im Beisein all der anderen und mitten unter ihnen. Wie können es die Wächter in dem dunklen Gang nur ertragen? All das Stöhnen, Jammern und Wehklagen der Gefangenen – und dann noch dieser entsetzliche Gestank.

Sehr nobel hatten es da seine Gefangenen im gemütlichen Kavaliersbau auf Schloss Neuschwanstein! – so denkt Ludwig.

Am Ende des Ganges ist eine kleine Stube, in der ein Wärter vor sich hin döst. Er sitzt auf dem einzigen Stuhl im Raum und hat seine Füße auf dem wackeligen Tisch abgelegt. Ansonsten ist da nur noch ein dreifüßiger Schemel und ein Beistelltisch, auf dem eine emaillierte

Waschschüssel mit einem Wasserkrug steht. An der Wand hängt ein riesiger Schlüsselbund.

Jetzt kommt Leben in die karge Bude. Vom Gang sind laute Schritte zu hören. Sofort zieht der Wärter seine Füße mit den blank geputzten Stiefeln vom Tisch und nimmt Haltung an. Grade noch rechtzeitig kann er seine gelockerte Hose zuschnüren bevor der Gefängnisdirektor in der Tür erscheint. Während der aufgeschreckte Wärter jetzt stramm steht, dröhnt des Direktors Stimme:

»Alle Gefangenen die der Beihilfe des Aufstandes beschuldigt wurden, sind sofort zu entlassen. Bringt immer nur fünf Leute vors Tor, dann wartet eine angemessene Zeit, bevor ihr die Nächsten raus bringt. Zuallererst jedoch geht hinunter ins Verlies und schickt die Folterknechte nach Hause, sie brauchen von den Aufwieglern keine Geständnisse mehr erwirken.«

Der Wärter ist ob des Befehls sichtlich verwirrt. Während er noch salutiert, verlässt der Direktor forschen Schrittes den Raum.

Jetzt ist Ludwig beruhigt, die Unschuldigen werden tatsächlich entlassen. Nur eines möchte er noch wissen: Wie ist es den vermeintlichen Anführern ergangen, sie mussten in den letzten Stunden schreckliche Folter ertragen, in welchem Zustand befinden sie sich?

Der Wärter nimmt den großen Schlüsselbund vom Haken an der Wand und macht sich auf den Weg zum Verlies, gefolgt vom einem unsichtbaren bayrischen Königsgeist, der eine Wichtelkolonie in seinen ausgestopften Manteltaschen und einen eingekuschelten Flaschengeist im Hermelinkragen beherbergt.

Ein langer Tag des Bangens

»Ludwig, Ihr könnt Euch gar nicht vorstellen wie sehr ich die Stunde herbeigesehnt habe, Euch wieder zu sehen!«

Liliuokalani saß beinahe den ganzen Tag im abgedunkelten Erkerzimmer und betete. Auch traurige Melodien entstanden in ihrem Kopf. Nur zu gerne hätte sie diese stillen Kompositionen niedergeschrieben, aber man verwehrte ihr sogar Schreibzeug. Die tiefe Hoffnungslosigkeit, die sich seit der Verlautbarung Mr. Neumanns über sie legte, ließ sie den ganzen Tag über in einem erstarrten Zustand verharren. Aber jetzt, nachdem Ludwig neben ihr erschienen ist, fühlt sie sich wieder lebendiger. Neugierig ist sie, was ihm wohl an diesem Tag alles wiederfahren ist.

Und Ludwig beginnt gleich zu erzählen, wie sie zuerst in Mr. Judds Büro waren, wie ihm die Idee mit der Lichtputzschere kam und wie sie schließlich den Unternehmungsgeist auf den Gerichtspräsidenten ansetzen konnten – und der dann auf der Stelle den richterlichen Beschluss diktierte, die Verhöre der vermeintlichen Anführer einzustellen und die restlichen Häftlinge sofort zu entlassen.

»Das ist ja wunderbar! Aber Ludwig, ist es denn möglich, dass ein Unternehmungsgeist einen Menschen zu Taten verleiten kann, die er aus eigenen Stücken heraus niemals tun würde?«

»Nein.« antwortet Ludwig »Das ist nicht möglich. Aber in diesem Fall war es einfach logisch, die Gefangenen aus dem hoffnungslos überfüllten Gefängnis zu entlassen und die Folter einzustellen. Das Todesurteil war ja bereits von allen Instanzen unterzeichnet – und ein Geständnis war deshalb nicht mehr nötig.

Aber mit Sicherheit hätte der Unternehmungsgeist Mr. Judd nicht mehr zu diesem Beschluss anleiten können, nachdem alle Unterlagen verbrannt waren. Auf unserem

Weg zurück zu Ihnen, verehrte Königin, haben wir dem Büro Mr. Judds nochmal einen Besuch abgestattet. Alle Papiere, die sich auf dem Schreibtisch befanden, sind restlos zerstört. Sowohl die fingierten Beweise, als auch Ihre persönlichen Unterlagen, die Mr. Judd aus dem Washington Palace gestohlen hat, sind vernichtet.«

»Ludwig, dafür bin ich Euch auf Ewig zu Dank verpflichtet! Ihr könnt Euch nicht vorstellen, wie erleichtert ich bin, meine private Korrespondenz und all die anderen Dokumente nicht mehr in der Hand dieser Verbrecher zu wissen.

Diese Menschen sind Fremde in unserem Land und haben es über die Jahre geschafft, uns unserer Ländereien zu berauben. Nicht zuletzt die eingeschleppten Krankheiten die sie mitbrachten, haben unsere Bevölkerung dezimiert. Im Jahr 1780 lebten auf unseren Inseln noch etwa 500.000 ›piha kânaka maoli‹, so wie wir Hawaiianer uns nennen. Heute, 1895, gerade mal 115 Jahre später, zählen wir nicht mal mehr 35.000 Menschen. Unsere Leute verhungern, verfallen dem Alkohol, werden von den Krankheiten der Fremden dahingerafft, sterben im Frondienst der selbst ernannten ›Herren‹ oder werden schlichtweg von ihnen umgebracht.

Manchmal habe ich das Gefühl, dass diese Einwanderer einer Seuche gleich unsere Kultur, unsere Menschen und schließlich auch noch unser Land zerstören.

Bevor sie auftauchten, gab es für alle mehr als genug zu Essen und es war Platz für jeden da.

Als unsere Kultur noch lebendig war, ernannte ein Stammesführer immer einen gerechten Mann aus seinen Reihen als Verwalter für die Ländereien. Dieser Beamte teilte den Hawaiianern Land zu, auf dem sie Taro und Kartoffeln anpflanzten, ihre Hühner und Schweine züchteten, und von dem sie gut leben konnten. Selbst der Wald, der Rohstofflieferant für die Tapa-Stoffe, wurde auf diese Weise unter den Frauen aufgeteilt. Miete oder Pacht, so wie das in anderen Ländern üblich ist, war uns unbekannt. Die Landnutzer mussten lediglich von ihrem Ernteertrag etwas abgeben, um das Überleben der Beamten und Häuptlinge sicherzustellen. Auch wenn die Missionare uns Vorhaltungen machten, dass es unmoralisch sei, normales Volk kein Land besitzen zu lassen, so hatte sich doch diese alte Regel über Jahrhunderte bewährt. Sie erweist sich rückblickend sogar als recht Weise. Denn heute, wo das Besitzrecht der Missionare eingeführt ist, leiden viele Hawaiianer Hunger und haben kein Land mehr, auf dem sie ihr Taro und ihre Kartoffeln anbauen können. –

Doch jetzt bin ich sehr abgeschweift, bitte entschuldigt, erzählt mir wie es weiterging.«

»Aber nicht doch liebe Lili«, antwortet Ludwig.

»Ich bin jedes Mal zutiefst gerührt wenn Ihr über die Sitten Eurer alten Kultur sprecht. Mir klingt es so, als hätten die alten Häuptlinge bei all ihrem Tun auch immer das Wohl des Volkes im Auge gehabt – was man von den Nachkommen der hier gestrandeten Missionare und den gierigen Geschäftsleuten, die sich Eure Inseln einverleibt haben, nicht behaupten kann.

Wenn mich das Leben eines gelehrt hat, so ist es, dass alle nach Macht und Besitz strebenden Menschen dieser Welt einen Verrat an der Menschlichkeit begehen. Sie bedienen sich immer der gleichen Mittel. Jede Lüge, jeder Betrug, jede Erpressung, jede Denunziation, jeder Verrat, jedes Leid, jede Zerstörung, jede Bestechung und sogar Mord ist ihnen recht, um ihre Ziele zu erreichen. Machtmenschen kennen keine Skrupel, denn sie haben keine Verbindung zu ihrem Herzen. Sie handeln aus der Angst heraus, ihre Bedeutungslosigkeit im großen Ganzen zu erkennen. Angst ist ihre Motivation und Angst ist das Gegenteil von Liebe. Weil sie mit sich und der Welt nicht in Liebe sind, hinterlassen sie eine Spur der Zerstörung, wo immer sie auftauchen. Dabei opfern sie auch ihr persönliches Glück. –

Doch jetzt zurück zum Ort des Geschehens.«

Ludwig erzählt Liliuokalani in allen Einzelheiten was geschah, nachdem er das in Flammen aufgegangene Büro von Mr. Judd verließ. Wie er Zeuge von der Entlassung der Gefangenen wurde und schließlich im Verlies den armen Mr. Clark und Mr. Helehule fand. Nackt und die Scham nur in Fetzen gekleidet hatten ihnen die Folterknechte böse zugesetzt. Sie waren mit einigen anderen vermeintlichen Anführern in eine fensterlose Zelle gezwängt, die eigentlich nur Platz für zwei Häftlinge bot. Ihre Hände waren auf dem Rücken gebunden, ihre Füße gefesselt und ihre Münder hatte man geknebelt, so dass sie nicht miteinander sprechen konnten. Obwohl schon fast verdurstet, waren sie doch nicht verzweifelt. Die Traumgeister gaben ihnen in den letzten Stunden reichlich Zuversicht, dass sie bald aus ihrer erbärmlichen Lage befreit werden würden. Diese Zuversicht half ihnen, die Misshandlungen durchzustehen.

Doch dann geschah etwas Schreckliches.

Gerade als sich Ludwig durch die Gitterstäbe in die Zelle der beiden gedrängt hatte, spürte er wie seine Füße schwer und schwerer wurden. Ihm schwante furchtbares. Sollte er etwa ausgerechnet jetzt sichtbar werden? Noch bevor sein ganzer Körper wieder zu sehen war, rannte Kimon schon mit einer Abordnung Wichtel los, um einen neuen Kranz zu holen. Ludwig stand derweil eingezwängt zwischen den Häftlingen in dem Verlies und zitterte am ganzen Leib. Er hatte entsetzliche Angst, dass ein Wärter kommen, die Türe aufschließen und ihn sehen würde. Glücklicherweise waren die Wärter allesamt damit beschäftigt, die Gefangenen aus dem oberen Stockwerk zu entlassen. Die Folterknechte waren bereits nach Haus geschickt worden. Und die Gefangenen, mit denen er die Zelle teilte, waren noch geknebelt, so dass sie nicht schreien konnten. Ludwig redete auf die Gefesselten ein, sie hätten von ihm nichts zu befürchten, im Gegenteil, er werde versuchen, ihnen zu helfen. Gott sei Dank dauerte es nicht allzu lange bis Kimon mit dem neuen Ti-Blätter-Kranz auftauchte. Und so ist alles nochmal gut gegangen.

Mittlerweile waren einige Zellen im oberen Stockwerk leer, die ersten frisch gereinigt und mit neuem Stroh versehen. Das war der Zeitpunkt für den Flaschengeist. Als ihn Ludwig fragte, wie gut es um seine Verwandlungskünste bestellt sei antwortete dieser beleidigt:

»Was für eine Frage! Ich wurde beim letzten großen Metamorphosewettbewerb Nationalmeister – einen besseren Verwandlungskünstler als mich werdet ihr auf ganz Hawaii nicht finden!«

Und wirklich, er hat sich als wahrer Meister seines Fachs gezeigt. Als Ludwig ihn bat, sich in die Gestalt des Gefängnisdirektors zu verwandeln, ahmte er diesen so perfekt nach, dass selbst Ludwig dachte der echte Direktor stünde vor ihm. Die Farbschattierungen der Kleidung, die behaarten Arme, die ungepflegte Frisur, sogar die Uhrkette baumelte aus der Hosentasche, alles war perfekt imitiert. Wäre da nicht eine gewisse Durchsichtigkeit gewesen, selbst ein Über- oder Unterirdischer hätte den Flaschengeist nicht vom echten Direktor unterscheiden können.

Ludwig ist immer noch ganz euphorisch bezüglich der Genialität dieses Wesens, er kann ihn gar nicht genug loben – und das nicht ganz ohne Hintergedanken. Denn, im Kerker konnten sie beim besten Willen keine anständige leere Flasche für den Geist finden. Jetzt hängt er ihm immer noch im Mantelkragen und fängt zu quengeln an, dass er für die Nacht nun gerne eine Flasche hätte.

Nach all der Lobhudelei traut sich Ludwig jetzt die Königin zu fragen, ob sie nicht zufällig eine leere Flasche hätte, in der der hilfreiche Geselle die Nacht verbringen könnte.

»Aber sicher doch verehrter Ludwig, in meinem Brotschrank befindet sich eine Flasche mit einem Rest Milch, den schütte ich einfach in die Toilette und spüle die Flasche aus. Dann kann der Gute darin nächtigen.« Schon steht sie auf, um zur Tat zu schreiten.

Was ihr Ludwig allerdings verschwiegen hat ist, dass so ein Flaschengeist auch durchaus unangenehme Seiten haben kann. Er hofft jedoch, dass alles gut gehen wird.

Nachdem der Geist recht zufrieden in die Flasche schlüpfte, stellt die Königin die Flasche samt Geist wieder zurück in den Schrank und Ludwig fährt mit seiner Erzählung fort.

Der Flaschengeist in Gestalt des Direktors trat also vor den diensthabenden Wärter und befahl ihm die Gefangenen aus dem Kellerverlies nach oben auf die freigewordenen Zellen zu verteilen.

»Ihnen sind die Fesseln und Knebel abzunehmen, sorgt dafür, dass sie sich waschen können und bringt ihnen die Kleider zurück, die wir ihnen bei der Verhaftung abgenommen haben. Außerdem sollen sie eine ordentliche Mahlzeit erhalten und Trinkwasser.«

Der Wärter war sichtlich überrumpelt und wandte ein: »Aber wie sollten sie sich waschen? Noch nie wurde es Gefangenen erlaubt…«

In schallendem Ton – ja sogar die Stimme war perfekt nachgestellt – unterbrach ihn der Flaschengeist und sagte: »Für die Körperhygiene gebt ihnen die Waschschüssel aus eurer Stube. Jetzt ab, Los, das ist ein Befehl!«

Während sich der Flaschengeist schon wieder auflöste, salutierte der verdutzte Wärter noch und führte dann alle Anweisungen aus.

Kimon brachte es unterdessen mit seinen Wichteln fertig, ein paar Kellergeister, die zu Hauf im Verlies unten anzutreffen waren, nach oben zu dirigieren. Denn selbst in den gereinigten Zellen wimmelte es noch vor Ungeziefer. Kimon musste all seine Überredungskünste aufbieten, um den Gesellen den Aufenthalt in den oberen Zellen schmackhaft zu machen, denn eigentlich halten sie sich nur in Kellern auf. Nachdem aber in die oberen Zellen auch kaum Licht eindringt, genügend Asseln, Kakerlaken und andere Insekten vorhanden waren und das frische Stroh zumindest ein paar Versteckmöglichkeiten bot, willigten sie schließlich doch ein zu bleiben. Sie versprachen Kimon wenigstens bis zum nächsten Tag das Getier von den Inhaftierten fernzuhalten.

»Morgen werde ich mich in früher Morgenstunde zu Mr. Judd aufmachen und seinem Unternehmungsgeist neue Anweisungen geben. Mehr konnte ich für heute nicht erreichen.«

So schließt Ludwig seine Erzählung ab, und fügt hinzu:

»Doch bitte, verehrte Lili, mich interessiert brennend, wie es Euch heute ergangen ist. Hat man Euch gut behandelt, konntet Ihr Euren Arzt sehen?«

Liliuokalani seufzt:

»Ach Ludwig, unterdessen Ihr so viel Gutes getan habt, saß ich wie versteinert hier. Mrs. Wilson schickte ich in ihr Zimmer und sonst hat sich kein Mensch blicken lassen. Meine Gedanken rumpelten mir durch den Kopf wie eine lose Kanone an Deck. Ich versuchte zu beten, oder wenigstens meinen Geist zu beruhigen, aber es gelang nicht. Ich wollte ein Psalmlied anstimmen, aber meine Stimme versagte. Traurige Kompositionen entstanden in meinem Kopf, aber da mir Schreibzeug verwehrt war, konnte ich sie nicht niederschreiben.«

»Lili, seid Ihr auch musikalisch? Ihr könnt komponieren?«

»Ja, sicher doch. Komponieren ist für mich so ein natürlicher Vorgang wie Atmen. 1866 komponierte ich die National Hymne von Hawaii. In der Kawaiahao Kirche leitete ich viele Jahre den Chor. Für die verschiedensten Festlichkeiten komponierte ich Musik, zum Beispiel ›Queen's Jubilee‹ dachte ich mir speziell für das Thronjubiläum aus. Mein bekanntester Song ist vermutlich ›Aloha Oe‹.«

Ludwig ist hoch erfreut über die musikalische Begabung der Königin. Gleich will er ihr Papier zum Schreiben besorgen. Er antwortet:

»Ich werde Kimon sofort bitten, ein paar Wichtel loszuschicken, um Schreibzeug für Euch zu organisieren. Im Schutz der Dunkelheit wird niemand bemerken, wenn Papier und Schreibfeder wie durch Geisterhand getragen durch's Schloss hüpfen. Ihr müsst dann nur ein gutes Versteck finden. – Solch ein Talent darf doch nicht aufgehalten werden!

Ich bin schrecklich neugierig von welcher Art die Musik ist, die Ihr komponiert. Könntet Ihr mir vielleicht ein Lied anstimmen?«

»Nichts lieber als das, ich werde meinen Gesang mit dem entsprechenden Hula begleiten.«

Liliuokalani steht auf, und weil Ludwig sie so fragend anblickt fügt sie noch hinzu:

»Die meisten unserer Lieder werden von einem Tanz begleitet, der ›Hula‹ genannt wird. Hula erzählt mit seinen Bewegungen, Gesten und der Mimik den Inhalt eines Liedes.«

Liliuokalani legt ihre ganze Dankbarkeit und Zuneigung für den König in ihre Stimme und singt so schön wie nie zuvor. Bereits nach dem ersten Ton fühlt sich Ludwig verzaubert. Dazu Liliuokalanis anmutigen, weichen, fließenden Bewegungen, die diese massige Frau leicht wie eine Feder erscheinen lassen.

Nachdem sie das Lied beendet hat setzt sie sich wieder zu Ludwig an den Tisch.

»Lili mit diesem Vortrag habt Ihr mein Herz berührt, so tief, so seelenvoll, dass ich fürchtete, mein Leben müsse wie ein flüchtiger Göttertraum in dieser gemeinen Welt zerrinnen. Kennt Ihr Wagner?«

Ohne ihre Antwort abzuwarten spricht er weiter:

»Wagner war zu meinen Lebzeiten der für mich größte Kompositeur, ich dachte nie würde etwas Herrlicheres in der Musikwelt geschaffen werden als seine Werke. Aber seine Kompositionen entstammen der Tragik. Ja sie sind einzigartig; aber sie sind schwer und haben die Harmonik im Vordergrund. Was ich eben hören durfte, ist aus der Liebe geboren, diese lebendige Melodik verbreitet eine Leichtigkeit, wie ich sie in meinem irdischen Leben nur in meiner Kindheit erleben durfte.«

Liliuokalani lässt die Worte auf sich wirken, dann antwortet sie:

»Selbstverständlich kenne ich Wagner. Ich weiß, dass es nur Euch zu verdanken ist, dass seine Musikdramen überhaupt entstehen konnten. Wagners Kompositionen sind der Höhepunkt der romantischen Musik. Vor allem mit Tristan hat er die Musiksprache neu definiert.«

Ludwig ist begeistert vom Wissen und Sachverstand der Königin. Noch lange unterhalten sich die beiden über die Schöpferkraft und Begabung Wagners. Wieder vergeht eine Nacht wie im Fluge, in der ihnen der Gesprächsstoff nicht auszugehen scheint. Viel zu früh dringt das erste Tageslicht in das abgedunkelte Erkerzimmer.

Das Ende der Königin

Dieser Hunger! Kaum ist Ludwig in dem kleinen Erkerzimmer sichtbar geworden, fängt sein Magen schon wieder erbärmlich zu knurren an. Liliuokalani will ihm schnell die Reste ihres Frühstücks holen. Sie geht hinüber zum Brotschrank, öffnet ihn und stößt einen schrillen Entsetzensschrei aus! Alle Lebensmittel sind von einer hässlich grünen Schimmelschicht überzogen die wie eine dichte Nebelschwade aus dem Schrank heraus ins Zimmer quillt.

Schon steht Mrs. Wilson in der Türe. Sie sieht diese wabernde Schimmelschicht und schreit hysterisch nach den Wachen.

Ludwig kann gerade noch hinter die Tür im Erkerzimmer springen, hektisch setzt er sich den Ti-Blätter-Kranz auf, atmet, kann sich hinter dem engen Türspalt kaum verneigen.

Zwei Soldaten reißen die Türe auf und stürmen mit dem Gewehr im Anschlag in die Kammer der Königin. Doch just in dem Moment, in dem die Wachen hereinstürmen, löst sich der Schimmel wie durch Zauberhand auf und neben Liliuokalani steht plötzlich eine zweite Liliuokalani.

Fassungslos starren nun alle die eben erschienene, laut lachende Zwillingsschwester der Königin an. Die echte Liliuokalani tritt einen Schritt zur Seite und ergreift hilfesuchend Mrs. Wilsons Hand. Sie versucht etwas zu stammeln, aber ihre Sprache hat sie verlassen.

Zufällig ist einer der beiden Soldaten derjenige, der kürzlich das Riechfläschchen die Balustrade hochklettern sah. Zudem bemerkte er schon mehrfach, dass sich auf völlig unnatürliche Weise Blätter durch den Schlossgarten bewegten. Als er seine Kameraden darauf aufmerksam machte, blieben die Blätter plötzlich bewegungslos auf dem Boden liegen und die anderen lachten ihn aus, er vertrüge wohl keinen Alkohol mehr... Jetzt ist ihm als würde ihn diese Erscheinung höhnisch verlachen, aber diesmal will er handeln. Er zielt auf die lachende Zwillingsschwester der Königin und ruft:

»Ich werde dich kriegen!« Dann schießt er.

Die Kugel schlägt splitternd in die Erkertüre – die doppelte Königin ist verschwunden.

Doch im nächsten Moment erscheint hinter den beiden Soldaten ein Duplikat des Schützen. Er hat seine Waffe auf die beiden gerichtet, zieht eine wütende Grimmasse und ruft exakt im gleichen Tonfall wie zuvor der andere:

»Ich werde dich kriegen!«

Panisch lassen die beiden Kameraden ihre Waffen fallen und rennen schreiend aus dem Raum.

Im Nu wimmelt es im Zimmer der Königin von Soldaten. Mr. Wilson ist sofort erschienen und lässt alles durchsuchen. Als ein paar Haudegen das Schreibzeug entdecken, das die Wichtel letzte Nacht mühsam anschleppten, wendet sich Liliuokalani furchtsam ab. Sie befürchtet, dass sie ihr es nun wieder wegnehmen werden. Aber die Söldner beachten es nicht weiter und Mr. Wilson bemerkt es in dem allgemeinen Durcheinander auch nicht. Sie finden schließlich nichts Verdächtiges. Langsam kehrt wieder Ruhe ein, nur noch Mr. Wilson ist im Raum, er spricht jetzt zu Liliuokalani:

»Majestät, sie werden sicher verstehen, dass ich es unter den gegeben Umständen nicht verantworten kann, meine Frau länger hier bei Ihnen zu lassen. Ich werde meine Frau umgehend mit nach Hause nehmen. Um Euren Schutz weiterhin zu gewährleisten, werden wir im Nebenraum Soldaten einquartieren.«

Einer Eingebung folgend geht Liliuokalani zum Brotschrank, nimmt die leere Milchflasche heraus, übergibt sie Mr. Wilson und verabschiedet Ihn mit den Worten:

»Diese Flasche ist leer, ich brauche sie nicht mehr, bitte nehmen Sie sie mit. Dann möchte ich Ihnen noch für Ihre Fürsorge danken.«

Damit verlässt Wilson den Raum. Die Königin begibt sich sofort ins Erkerzimmer. Endlich will sie erfahren, was Ludwig zu berichten hat.

Er fängt sofort an zu erzählen, was er drüben beim Gerichtspräsidenten zu Gesicht bekam.

Mr. Judd war immer noch völlig verzweifelt wegen all der zerstörten ›Beweise‹ und des verbrannten Todesurteils. Viele Monate hatte er hart dran gearbeitet um all diese Lügen zusammenzutragen. Er rannte wie ein aufgescheuchtes Huhn von einem Büro zum anderen, da sein Zimmer noch nicht vollständig wiederhergestellt war. Der Unternehmungsgeist treibt es arg mit ihm. Kaum ist Mr. Judd damit beschäftigt eine Sache auszuführen, schon schickt ihm der Unternehmungsgeist neue Ideen für neue Taten, die ihn sofort zur nächsten Sache eilen lassen, ohne dass er die vorherige zu Ende geführt hätte. Unter vorgehaltener Hand tuscheln die ersten Angestellten bereits, dass ihm das gestrige Feuer wohl den Verstand geraubt haben muss.

Gegen Mittag werden die Anstreicher die rußverschmierten Wände seines Arbeitszimmers wieder weiß getüncht haben. Am Nachmittag soll ein neuer Schreibtisch angeliefert werden. Bis dahin will der Unternehmungsgeist noch alles Erdenkliche tun, um Mr. Judds Verstand durcheinander zu bringen. Sobald er sein Büro bezogen hat, wird ihn der Geist nur noch mit einem einzigen Gedanken beschäftigen, nämlich: dass es unmöglich sein wird, die in monatelanger Arbeit, mühsam zusammengetragenen Unterlagen neu zu erstellen. Er wird zu dem Schluss kommen, dass eine andere Lösung gefunden werden muss. Die Lösung, die ihm dann vom

Unternehmungsgeist präsentiert werden soll muss jetzt wohl überlegt werden.

»Ludwig, mir ist alles Recht, was das Leben der zum Tode verurteilten retten kann, auch wenn ich mein Leben dafür geben muss. Wenn nur diese Unschuldigen freigelassen werden!« verlautet Liliuokalani.

Die beiden grübeln eine ganze Zeit lang, wie eine Lösung aussehen könnte, die einerseits niemandem Schaden zufügt, andererseits aber auch die Besatzer zufrieden stellt. Die Gewaltherrscher sollen in Zukunft keinen Anlass mehr finden, um willkürlich Vertraute der Königin zu schikanieren.

Ludwig hat eine Idee. Er bespricht mit der Königin alle Argumente dafür und dagegen, schließlich ist sie einverstanden.

Sie haben nicht mehr viel Zeit, Ludwig will los.

Vorsichtshalber hatte er sich von den Wichteln noch einen neuen Ti-Blätter-Kranz bringen lassen. Jetzt übergibt Kimon ihm diesen mit den besorgten Worten:

»Majestät, der Ti-Blätter bald zu viel gepflückt – die Unsichtbarkeit dann nicht mehr glückt!«

»Ach Kimon, was soll das schon wieder bedeuten? Willst du mir damit sagen, dass die Blätter bald alle abgepflückt sind?«, fragt Ludwig zurück.

»Sehr wohl Majestät!«, antwortet der kleine Kimon zackig.

Darum wird sich Ludwig später kümmern müssen, schnellstmöglich möchte er jetzt hinüber zu Mr. Judd.

Das Zimmer ist wieder einigermaßen hergestellt, nur ein paar weiße Farbflecken auf dem Fußboden lassen noch erahnen, was hier in den letzten Stunden passiert ist. Mr. Judd sitzt alleine hinter seinem neuen Schreibtisch, auf dem jetzt nur ein paar unbeschriebene Blätter Papier liegen. Er hat seinen Kopf in die aufgestützten Arme gelegt und scheint nachzudenken. Nichts von der gestrigen Geschäftigkeit. Im Zimmer ist es ganz still.

Ludwig kann den Unternehmungsgeist gleich entdecken. Er sitzt dem Gerichtspräsidenten wie ein Krake auf dem Kopf. Die losen ›Wollenden‹ baumeln zu allen Seiten herunter. Eilends gibt er ihm Anweisung, was Mr. Judd jetzt zu tun habe. Kaum ausgesprochen nimmt dieser sogleich ein paar Bögen von dem blanken Papier und beginnt zu schreiben. Nachdem Ludwig das erste von Mr. Judd geschriebene Wort gelesen hat, macht er sich beruhigt auf den Weg zurück zum Schloss.

Im Erkerzimmer wieder sichtbar geworden, berichtet Ludwig der Königin, dass alles nach Plan läuft.

»Lili, sie werden bald auftauchen und Ihnen das Papier unter die Nase halten. Ich werde solange unsichtbar im Erkerzimmer verharren. Dort im Schutz hinter der Türe könnte mich Kimon notfalls schnell mit einem neuen Kranz versehen.«

Es dauerte nicht lange bis Mr. Wilson ohne anzuklopfen in das Zimmer der Königin stürmt. Er wedelt mit einem Papier in der Hand und redet sofort los:

»Majestät, Euch liegt doch daran, dass die Gefangenen, die des Aufstandes für schuldig befunden wurden, nicht hingerichtet werden? Ich habe den Auftrag Euch hiermit ein Angebot zu unterbreiten. Sollte Majestät diese Abdankungserklärung unterschreiben, werden alle die jetzt noch im Kerker sitzen innerhalb eines Tages auf freien Fuß gesetzt. Solltet Ihr Euch nicht bereit erklären, werden die Verhafteten zusammen mit Eurer Majestät hingerichtet.«

»Mr. Wilson, was habe ich für eine Wahl. Sollen all die Leute, die nichts anderes getan haben als ihrer Königin gegenüber Zuneigung und Loyalität zu zeigen, sterben? Gott sei mein Zeuge unter welch erpresserischen Umständen ich zur Unterzeichnung dieser Abdankungserklärung gezwungen werde. Geben Sie mir das Schriftstück, ich werde meinen Namen daruntersetzen.«

Mit der Abdankungserklärung, so denkt Liliuokalani, würde sie endgültig ihre Machtansprüche als Königin aufgeben und zurück ins bürgerliche Leben treten. Damit kann sie ihren Widersachern den Wind aus den Segeln nehmen. Aufmerksam liest sie das erhaltene Papier, am Ende angekommen schaut sie verwirrt auf.

»Hier steht: gezeichnet, L. Dominis. Wünschen Sie, dass ich die Erklärung in dieser Form unterzeichne?«

Mr. Wilson ist etwas verunsichert, hatte er doch nur den Auftrag, der Königin eine Unterschrift abzuringen, mit Formsachen kannte er sich nicht gut aus. So antwortete er: »Unterschreibt in der vorgegebenen Weise, so wie es auf der Erklärung steht, nur dann werden die Gefangenen entlassen.«

So nimmt Liliuokalani den Federhalter, setzt den Namen L. Dominis auf das Papier und gibt es Mr. Wilson zurück, der sofort damit verschwindet.

Kaum hat Wilson den Raum verlassen, wird Ludwig wieder sichtbar. Liliuokalani schaut ihn verdutzt an und spricht:

»Verehrter Ludwig, schon seit ich zur Thronfolgerin ernannt bin ist mein offizieller Name einfach Liliuokalani. Auch als Königin habe ich mich nie anders genannt, so ist es in den Staatsarchiven festgehalten bis zum heutigen Tag. Weder die provisorische Regierung noch sonst irgendwer hat eine Namensänderung erlassen. Sowohl bei allen Staatsakten, als auch bei meinen privaten Briefen habe ich immer nur mit Liliuokalani unterzeichnet. Es gibt nicht und gab niemals, soweit ich weiß, eine Frau mit dem offiziellen Namen ›Liliuokalani Dominis‹. Die mit L. Dominis unterzeichnete Abdankungserklärung ist somit ungültig!«

»So ist es meine liebe Lili. Die Idee mit der Unterschrift kam mir in letzter Sekunde. Nachdem ich unsichtbar wurde, begab ich mich nochmal geschwind hinüber zu Gerichtspalast. Der Unternehmungsgeist redete Mr. Judd ein, dass eine Frau immer den Nachnamen ihres Mannes trägt. Und nachdem der arme Mr. Judd schon so durcheinander war, hat er diese Dummheit sofort aufgenommen.

Im Übrigen wurde ich im Anschluss noch Zeuge, wie Mr. Judd den Entlassungsbeschluss für sämtliche Häftlinge, die jetzt noch im Gefängnis sitzen, ausstellte. Der Unternehmungsgeist versprach mir, sobald die Abdankungserklärung zurück sei, den Beschluss sofort per Gerichtsdiener weiterzuleiten.«

Die beiden freuen sich über die gelungene Tat und schauen sich glücklich in die Augen. Nach einer Weile sagt Liliuokalani:

»Aber so sagt, Ludwig, es ist doch verrückt! Das Leben so vieler Menschen hängt davon ab, ob ich mit dem Federhalter ein paar Buchstaben auf ein Papier kritzle.«

»Ja meine Liebe, es ist verrückt!«

Abschied und Wiedersehen

»Verehrte Lili, ich muss gestehen, dass ich nun ein bisschen Heimweh bekomme. Ich sehne mich sehr nach Neuschwanstein, nach meinem Wintergarten mit seinem herrlichen Ausblick auf die Alpen. Und nach all den über- und unterirdischen Freunden dort. Es kostet mich auch einige Anstrengung im sichtbaren Zustand zu verweilen, nicht zuletzt der schweren Beine wegen. Es ist mir auch lästig, immerzu von einem knurrenden Magen und vom Hunger gepeinigt zu sein. Auch wenn Eure Speisen mir hervorragend munden, so ist es mir doch unangenehm, Euch ständig alles wegzuessen, um meinen Magen zu bändigen.

Dazu beständig diese Angst, entdeckt zu werden. Kimon hat mich bereits gewarnt, dass im Schloss bald nicht mehr genügend Ti-Blätter vorhanden sind, um meine Unsichtbarkeit weiterhin zu gewährleisten.

Ich befürchte, nein besser: Ich hoffe, dass ich Euch jetzt auch nicht mehr weiter behilflich sein kann. Die restlichen Gefangenen wurden heute entlassen, und Ihr werdet in den nächsten Tagen zurückkehren in den Washington Palace.

Es stimmt mich traurig es auszusprechen, aber mit Ihrem Segen würde ich gerne einen Weg finden wieder nach Hause zu kommen.«

So wandte sich Ludwig jetzt an Liliuokalani.

Verständnisvoll aber ratlos erwidert sie:

»Mein lieber Ludwig ob Eurer Worte wird es mir ganz Weh. Aber nur zu gut kann ich verstehen, dass Ihr nach all der Aufregung wieder in Euer schönes Schloss wollt – bloß wie sollte ich dabei helfen?«

Zornig hüpft Kimon auf dem kleinen Teetischchen auf und nieder wie ein Gummiball und krächzt: »Majestät, Kimon kennt den Weg, doch der König ihn verschmäht! Hätte jemand Kimon gefragt, er hätte alles gesagt. Der König hat ihn vergessen, Kimon ist jetzt angefressen!«

Und schon springt Kimon mit einer beleidigten Schnute zurück in des Königs Manteltasche.

Ja sicher, wie konnte er nur den hilfreichen Freund so achtlos in seiner Tasche vergessen – wusste Kimon doch in solchen Angelegenheiten immer genauestens Bescheid. Er holt Kimon aus seiner mittlerweile hoffnungslos ausgebeulten Manteltasche und spricht zu ihm:

»Lieber Kimon, ich habe Heimweh nach Neuschwanstein, hier gibt es nichts mehr für mich zu tun – weißt du vielleicht wie wir wieder nach Hause kommen können?«

Kimon schmollt noch ein bisschen, genießt aber sichtlich die Aufmerksamkeit, die ihm jetzt zukommt. Dann antwortet er knapp:

»Wie gekommen, so zerronnen.« Und springt schnell wieder in die Manteltasche.

»Also gut Kimon, es tut mir leid, dass ich nicht gleich dran gedacht habe dich zu fragen. Bitte sage mir doch wie wir wieder nach Hause kommen können. Denn mit dem Sprichwort ›Wie gewonnen so zerronnen‹ kann ich gar nichts anfangen.«

»Majestät haben nichts gewonnen! Majestät sind gekommen! Beim Kommen wie beim Gehn,

ein Abbild des Schlosses man nehm.

Des Königs Blick

sich dann mit dem Fenster verstrick.

Dann Fenster auf, Fenster zu

und wir haben wieder unsre Ruh.«

Ludwig ist mal wieder nicht sicher, ob er verstanden hat, worauf Kimon hinaus will. Aber jetzt seinem Missmut Luft zu machen würde Kimon nur noch mehr verärgern. Er wird es einfach versuchen, so gut er es verstanden hat. So bittet er Liliuokalani um das Foto von Schloss Neuschwanstein und bereitet sie darauf vor, dass er wahrscheinlich gleich für immer verschwunden sein wird.

»Ach Ludwig, auch wenn ich Euch nicht gerne ziehen lasse, so sehe ich doch ein, dass Ihr wieder zurück in Euer Märchenschloss wollt, hier habt Ihr die Fotografie.

Ihr ward mir in den schwersten Stunden meines Lebens ein treuer Freund – wer weiß wie die Geschichte meines Lebens, und das Leben so vieler Unschuldiger ohne Euch ausgegangen wäre.

Ich danke Euch und all den unsichtbaren Wesen von ganzem Herzen für Eure Hilfe, auch im Namen all derer, denen Ihr das Leben gerettet habt!

Ich werde Euch künftig in mein Abendgebet einschließen. Mögen Euch die guten Taten, die ihr hier vollbracht habt und meine Fürbitten helfen, in die nächste Existenz überzutreten. Ihr werdet für immer einen Platz in meinem Herzen haben.«

»Verehrte Lili, habt Dank für eure Worte, auch ich werde Euer Andenken auf Ewig in meinem Herzen tragen.

Aber bitte lasst das mit dem Gebet und den Fürbitten. Ich möchte so gerne noch ein Weilchen auf Neuschwanstein verweilen.«

»Gut, so werde ich Euch in meinen Gedanken für immer dort wissen.«

Dann kullert ihr eine dicke Träne über die Wange.

Auch Ludwig steht das Wasser in den Augen. Schnell wendet er seinen Blick auf die Fotografie und konzentriert sich auf das mittlere Fenster des Wintergartens, er öffnet es in seinen Gedanken und steigt hindurch.

Auf Schloss Neuschwanstein herrscht große Aufregung, aus allen Winkeln tönt es: »Wiggerl ist wieder da! Wiggerl ist wieder da! Wir treffen uns, sobald die Touristen raus sind, im Thronsaal!«

Wie aufgescheuchte Hühner schwirren sämtliche Kreaturen und Wesen durch die Gänge und strömen zum Thronsaal. Die Musikgeister kommen mit fröhlichen Melodien auf den Lippen vom Sängersaal herunter. Die arbeitslosen Küchengeister freuen sich über die Abwechslung und schleppen ein paar Töpfe mit nach oben, man weiß ja nie? Einige Berggeister setzen sich wie Zaungäste draußen auf die Balustrade, von der sich Ludwig einst stürzen wollte. Die Kellergeister suchen nach der dunkelsten Ecke im Thronsaal und nachdem sie endlich eine gefunden haben gibt es beinahe Ärger mit zwei Nachtge-spenstern, die ihnen den Platz streitig machen wollen. Feen ranken sich graziös um die Säulen, andere Gestalten, Geister und Gespenster lümmeln sich auf den Boden oder lassen sich oben auf den Balkonen nieder. Ja sogar der alte Turmspuker kommt die steile Wendeltreppe herunter geächzt.

Die Elfen beleuchten mit ihrem blassen Licht den riesigen Saal, die blaue Decke mit ihrer aufgemalten Sonne scheint sich dem Himmel geöffnet zu haben. Die Heiligen von den Wandgemälden nicken den Versammelten freundlich zu. Jeder will wissen, was dem vermissten Wiggerl wiederfahren ist.

Nachdem alle da sind, wird es mucksmäuschen still im Saal. Sogar der Kettenrassler hält sich ruhig, um die ehrwürdige Stille im Saal nicht zu stören.

Dann segelt Ludwig von der Empore herunter in die Halle und schreitet langsam die Treppe hinauf an die Stelle, an der einst der Thron stehen sollte. Er stellt sich auf das kleine Podest und beginnt zu erzählen:

Von der Königin auf Hawaii, die er getroffen hat und die sich in einer so misslichen Lage befand. Von den verschiedenen Über- und Unterirdischen, die er dort kennenlernte. Dass die Kellergeister dort auch das Versteckspiel lieben, die Flaschengeister Metamorphose-Meisterschaften austragen und die Elfen dort fast alle ausgestorben sind. Er erzählt auch davon, dass die Regierungsbeamten auf Hawaii die gleichen elendigen Machtmenschen wie überall auf der Welt sind und er ständig einen neuen Ti-Blätter-Kranz brauchte, um unsichtbar zu bleiben.

Würde Kimon aus der Manteltasche heraus nicht immer zustimmend nicken, keiner würde Wiggerl ein Wort glauben. Zu fantastisch klingt seine Erzählung.

Schließlich berichtet er wie sie es mit Hilfe verschiedenster Kreaturen geschafft haben all die Gefangenen erst zu befreien und die restlichen dann samt Königin vor der Todesstrafe zu bewahren. Und wie treu, heldenhaft und tapfer Kimon ihm mit seinen Wichteln zur Seite gestanden hat. Da geht ein anerkennendes Raunen durch den Saal.

Als Ludwig mit seinem Bericht geendet hat, gibt Delaren, die vor ein paar Jahren ins Schloss umgezogen ist, den Irrlichtern den Befehl, die Festtagsbeleuchtung einzuschalten, um endlich Wiggerls Wiederkehr zu feiern.

Sofort fangen die Feen an ihre Reigen zu tanzen, während die Elfen mit den Musikgeistern ein Lied anstimmen, zu dem die Küchengeister im Takt auf ihre Töpfe schlagen. Im Nu hat sich die ehrfürchtige Stille in ein rauschendes Fest verwandelt.

Ein Kellergeist, der sich mächtig überwinden muss um seine dunkle Ecke zu verlassen, zwängt sich durch das fröhliche Treiben zu Ludwig, klopft ihm auf die Schulter und sagt:

»Wiggerl, das war jetzt eine tolle Geschichte, aber jetzt sag ehrlich, wo hast du dich die ganze Zeit versteckt? Wenn du mir das Versteck verrätst, halte ich dir für immer die Asseln und Spinnen vom Leib.«

Nachwort:

Die historischen Eckdaten der hier erzählten Geschichte entsprechen den Fakten – zumindest sind sie so von verschiedenen Historikern niedergeschrieben. Nicht alle Fakten habe ich bis ins letzte Detail übernommen – aber ist nicht auch die Geschichtsschreibung eine Frage der Perspektive?

Zu Ludwigs Tod im Starnberger See gibt es beispielsweise viele Theorien. Und viele Fragen sind noch immer offen. Ich habe mir bezüglich Ludwigs II. Tod erlaubt eine Version zu wählen, die meiner Geschichte dienlich ist. Obwohl ich mir nicht sicher bin, ob unser Märchenkönig nicht doch erschossen wurde – vieles könnte dafür sprechen:

Der Augenzeuge und kgl. Leichenbeschauer Hofrat Dr. Magg berichtete seiner Tochter auf dem Totenbett von Schusswunden an Ludwigs Leichnam.

Es wurde nie aufgeklärt, wessen Kutsche sich vor dem Mitteltor aufgehalten hatte.

Warum überprüfte niemand die Boote, die den ganzen Tag über auf dem See vor dem Schloss zu beobachten waren?

Hemd und Rock des Königs (mit Einschusslöchern?) wurde eiligst auf Schloss Nymphenburg verbrannt.

Die Uhr des Königs blieb ca. 1 1/4 Stunden vor der Uhr Dr. Guddens stehen, trat Dr. Guddens Tod nach Ludwigs Tod ein?

Der Hut des Königs mit der kostbaren Diamantagraffe sowie Rock und Regenschirm wurden erst in der Dunkelheit nach zehn Uhr gefunden, obwohl der Fundort bereits bei Tageslicht von mehreren Gendarmen abgesucht wurde

Warum weilte der Mitarbeiter der Deutschen Abwehr (Bismarcks sehr effizienter Geheimdienst) Philipp Fürst zu Eulenburg an jenem Tag zufällig in Starnberg?

Warum wird die Leiche Ludwigs erst im Bootshaus versteckt und warum wird dieses Bootshaus unmittelbar danach abgerissen?

Warum sagt Prof. Dr. Hans Rall (Vorstand des Wittelsbacher Geheimen Hausarchivs) »Das Protokoll nennt keine Todesursache.«

Warum überfällt eine Hofdame den Fischer Lidl mit der Frage: »Gell, der König ist erschossen worden!?« Lidl verplappert sich darauf reflexartig: »Ja, woher wissen Sie denn das; ich hab gemeint, das weiß bloß ich!«

Warum muss Lidl schwören, nichts über die Vorgänge in der Todesnacht zu erzählen?

Weshalb wurde ein Schulheft, welchem Lidl vermutlich die Wahrheit über die Todesnacht anvertraute, von einer Kommission konfisziert? (Zeuge: Albert Widemann)

Warum starb einer der Gendarmen die im Park Dienst hatten kurz darauf auf ungeklärte Weise und warum ging der andere (mit viel Geld) nach Amerika?

Je mehr man in dieser Sache stöbert, umso größer werden die Fragezeichen. Aber ich wollte hier kein Buch schreiben in dem ein weiteres Mal all die Ungereimtheiten beleuchtet werden.

Für die Szenen nach Ludwigs Tod wurde ich inspiriert durch das Studium verschiedener Religionen und ihrer Vorstellungen, wie es nach unserm physischen Ableben weitergehen könnte.

Mythen, Sagen, Volksglauben und Märchen gaben mir die Vorlagen für meine Helden aus der Über- und Unterirdischen Welt. Und wenn der Ein oder Andere in den Eigenschaften eines spezifischen Geistwesens eine Verwandtschaft zu einer psychischen Auffälligkeit feststellt, so mag er damit auf einer heißen Spur sein.

Liliuokalani wurde von den Besatzern tatsächlich auf der Abtretungserklärung gezwungen, mit ihrem bürgerlichen Vor- und Familiennamen zu unterschreiben. Vermutlich ist diese Forderung der Besatzer auf das römische Recht zurückzuführen, in dem der Name und seine Schreibweise eine klare Auskunft über den Status eines Menschen geben.

Literatur

Bayerische Verwaltung der staatlichen Schlösser, Gärten und Seen (Hrsg.), München:
- Amtl. Führer Herrenchiemsee
- Amtl. Führer Nymphenburg
- Amtl. Führer Schlossanlage Schleißheim
- Amtl. Führer Schloss Neuschwanstein

Bayern, Adalbert Prinz von: Die Wittelsbacher – Geschichte unserer Familie; Prestel Verlag, München, 1979

Berney, Charlotte: Fundamentals of Hawaiian Mysticism; Crossing Press, Freedom, California, 2000

Bertram, Werner: Der einsame König Ludwig II. – Erinnerungen an Ludwig II. von Bayern; Herpich Kunst- und Verlagsanstalt, München, 1936

Blunt, Wilfried: Ludwig II. – König von Bayern; Prestel Verlag, 1970 München

Desing, Julius: König Ludwig II. – Sein Leben, sein Ende; Verlag Kienberger, Lechbruck, 1976

Duprée, Ulrich Emil: Ho'oponopono – Das hawaiianische Vergebungsritual; Schirner Verlag, Darmstadt, 2011

Hacker, Rupert (Hrsg.): Ludwig II. von Bayern in Augenzeugenberichten; dtv, München, 1972

Hausner, Hermann M.: Ludwig II. von Bayern – Berichte der letzten Augenzeugen; documenten-Verlag, München-Salzburg, 1961

Herre, Franz: Ludwig II. – Sein Leben, sein Land, seine Zeit; Lizenzausgaben der Dt. Verlags-Anstalt, Stuttgart,1986

Kane, Herb Kawainui: Ancient Hawai'i; The Kawainui Press, Captain Cook, Hawaii, 1997

Kepler, Angela Kay: Trees of Hawai'i; University of Hawaii Press, Honolulu, 1990

Krüger, Horst: Ludwig lieber Ludwig – Ein Versuch über Bayerns Märchenkönig; Hoffmann und Campe, Hamburg, 1979

Liliuokalani: Hawaii's Story by Hawaii's Queen; Lee and Shepard, Boston,1898

Long, Max Freedom: Kahuna-Magie, Das Wissen um die weise Lebensführung; Bauer Verlag, Freiburg im Breisgau, 1986

Lutz, Fritz: Mein München, Band 3 – Ein Gang durch die Stadtgeschichte; Oldenbourg Verlag, München,1962

Mrantz, Maxine: Hawaiian Monarchy - The Romantic Years; Aloha Pub, Honolulu, 1974.

Müller, Franz Carl: Die letzten Tage König Ludwigs II. von Bayern, nach eigenen Erlebnissen geschildert; Fischer's Medicin. Buchhandlung, Berlin, 1888

Noyes, Martha H.: Then there were none; Honolulu, Bess Press 2003

Percha, Igor von: Der König soll sterben – Roman um Leben und Leiden Ludwig II.; Süddeutscher Verlag, München, 1973

Ruland, Jeanne: Aloha – Gelebte Liebe und hawaiianische Huna-Philosophie; Schirner Verlag, Darmstadt, 2011

Schmid, Marie-Luise / Jungmann, Thomas: Ludwig II. und seine Märchenwelt; Rosenheimer Verlagshaus, Rosenheim, 2001

Schweiggert, Alfons: König Ludwig Superstar; Goldmann, München, 1985

Streißler, Fr.: König Ludwig II. von Bayern. Ein deutsches Fürstenleben, biographisch und charakteristisch dargestellt; Carl Rühle Verlag, Leipzig, 1886

Tempski, Armine von: Aloha; Duell, Sloan and Pearce, New York, 1946

Thiele, Johannes: Elisabeth – Das Buch ihres Lebens; List Verlag, München,1996

Till, Wolfgang: Ludwig II. König von Bayern – Mythos und Wahrheit; Verlag Christian Brandstätter, Wien, 2010

Velden, Stien van: Ludwig – Historischer Roman, Friedmann Verlag, München, 2007

Lightning Source UK Ltd.
Milton Keynes UK
UKHW010627190820
368484UK00001B/266